Coleção Literatura Brasileira

TOMÁS ANTÔNIO GONZAGA

1. MARÍLIA DE DIRCEU

MACHADO DE ASSIS

1. RESSURREIÇÃO • 2. A MÃO E A LUVA • 3. HELENA • 4. IAIÁ GARCIA • 5. MEMÓRIAS PÓSTUMAS DE BRÁS CUBAS • 6. QUINCAS BORBA • 7. DOM CASMURRO • 8. ESAÚ E JACÓ • 9. MEMORIAL DE AIRES • 10. CONTOS FLUMINENSES • 11. HISTÓRIAS DA MEIA NOITE • 12. PAPÉIS AVULSOS • 13. HISTÓRIAS SEM DATA • 14. VÁRIAS HISTÓRIAS • 15. PÁGINAS RECOLHIDAS • 16. RELÍQUIAS DE CASA VELHA • 17. CASA VELHA • 18. POESIA COMPLETA • 19. TEATRO.

LIMA BARRETO

1. RECORDAÇÕES DO ESCRIVÃO ISAÍAS CAMINHA • 2. TRISTE FIM DE POLICARPO QUARESMA • 3. NUMA E A NINFA • 4. VIDA E MORTE DE M. J. GONZAGA DE SÁ • 5. CLARA DOS ANJOS • 6. HISTÓRIAS E SONHOS • 7. CONTOS REUNIDOS.

JOSÉ DE ALENCAR

1. CINCO MINUTOS (1856) • 2. O GUARANI (1857) • 3. A VIUVINHA (1860) • 4. LUCÍOLA (1860) • 5. IRACEMA (1854) • 6. ALFARRÁBIOS • 7. UBIRAJARA (1874) • 8. SENHORA (1875) • 9. ENCARNAÇÃO (1893).

MANUEL ANTÔNIO DE ALMEIDA

1. MEMÓRIAS DE UM SARGENTO DE MILÍCIAS

EDUARDO FRIEIRO

1. O CLUBE DOS GRAFÔMANOS • 2. O MAMELUCO BOAVENTURA • 3. BASILEU • 4. O BRASILEIRO NÃO É TRISTE • 5. A ILUSÃO LITERÁRIA • 6. O CABO DAS TORMENTAS • 7. LETRAS MINEIRAS • 8. COMO ERA GONZAGA? • 9. OS LIVROS NOSSOS AMIGOS • 10. PÁGINAS DE CRÍTICA • 11 O DIABO NA LIVRARIA DO CÔNEGO • 12. O ALEGRE ARCIPRESTES • 13. O ROMANCISTA AVELINO FÓSCOLO • 14. FEIJÃO, ANGU E COUVE • 15. TORRE DE PAPEL • 16. O ELMO DE MAMBRINO • 17. NOVO DIÁRIO.

BERNARDO GUIMARÃES

1. A MINA MISTERIOSA • 2. A INSURREIÇÃO • 3. O BANDIDO DO RIO DAS MORTES • 4. A ESCRAVA ISAURA.

MÁRIO DE ANDRADE

1. OBRA IMATURA • 2. POESIAS COMPLETAS • 3. AMAR, VERBO INTRANSITIVO • 4. MACUNAÍMA • 5. OS CONTOS DE BELAZARTE • 6. ENSAIO SOBRE A MÚSICA BRASILEIRA • 7. MÚSICA, DOCE MÚSICA • 8. PEQUENA HISTÓRIA DA MÚSICA • 9. NAMOROS COM A MEDICINA • 10. ASPECTOS DA LITERATURA BRASILEIRA • 11. ASPECTOS DA MÚSICA BRASILEIRA • 12. ASPECTOS DAS ARTES PLÁSTICAS NO BRASIL • 13. MÚSICA DE FEITIÇARIA NO BRASIL • 14. O BAILE DAS QUATRO ARTES • 15. OS FILHOS DA CANDINHA • 16. PADRE JESUÍNO DO MONTE CARMELO • 17. CONTOS NOVOS • 18. DANÇAS DRAMÁTICAS DO BRASIL • 19. MODINHAS IMPERIAIS • 20. O TURISTA APRENDIZ • 21. O EMPALHADOR DE PASSARINHO • 22. OS COCOS • 23. AS MELODIAS DO BOI E OUTRAS PEÇAS • 24. TÁXI E CRÔNICAS NO DIÁRIO NACIONAL • 25. O BANQUETE.

A ILUSÃO LITERÁRIA

Coleção Literatura Brasileira

Diretor editorial
Henrique Teles

Produção editorial
Eliana Nogueira

Arte gráfica
Ludmila Duarte

Revisão
Eduardo Satlher Ruella

EDITORA GARNIER
Belo Horizonte
Rua São Geraldo, 67 - Floresta - Cep.: 30150-070 - Tel.: (31) 3212-4600
e-mail: vilaricaeditora@uol.com.br

EDUARDO FRIEIRO

A ILUSÃO LITERÁRIA

2ª Edição

GARNIER
desde 1844

Dados Internacionais de Catalogação na Publicação (CIP) de acordo com ISBD

F91li Frieiro, Eduardo, 1889-1982.

A ilusão literária / Eduardo Frieiro - 2ª ed. - Belo Horizonte, MG : Garnier, 2020.
148 p. : il. ; 14cm x 21 cm.

Inclui índice.
ISBN 978-65-990765-4-1

1. Literatura brasileira. 2. Ensaio. I. Título.

CDD 869.94
CDU 82-4(81)

Elaborado por Vagner Rodolfo da Silva - CRB-8/9410

Índice para catálogo sistemático:

1. Literatura brasileira : Ensaio 869.94
2. Literatura brasileira : 82-4(81)

SUMÁRIO

A ILUSÃO LITERÁRIA

Neste livro, *A Ilusão Literária*, trata Eduardo Frieiro da arte de escrever e de temas relativos à faina de escritor. A primeira edição é de 1932. A segunda, revista e aumentada, saiu em 1941. Para esta terceira, deixou o autor, falecido a 22 de março de 1982 o exemplar de que nos servimos, onde se lê: "originais corrigidos para a terceira edição. Primeira edição, setembro de 1932. Segunda edição, agosto de 1941". Ele mesmo a qualifica de "refundida e acrescida de novas páginas".

Rareiam as correções reveladoras do escrupuloso respeito à sintaxe da língua. Explica-se. A prática, no escritor primoroso, responde cabalmente à teoria esposada. Um só exemplo. Valha também pela doutrina, decorrente da citação de Miguel Ângelo: "As obras realizadas à custa de muito trabalho devem parecer, a despeito da verdade, fáceis e concebidas sem esforço... A grande regra é penar muito para se criarem coisas que pareçam (e não pareça) não ter custado nenhuma pena". A luta pelo termo próprio documenta-se com esta amostra, onde *vágado* faz as vezes de *síncope*: "Diserto com os íntimos amigos, Bento Pires (o avatar de Frieiro), logo se vê em presença de gente mais ou menos estranha, sente-se constrangido, enleado, não diz coisa com coisa, quando não perde inteiramente o uso da fala. Experimentem dar-lhe de repente a palavra, diante de meia dúzia de pessoas, para o menos solene dos espiches: é quase certo que tenha um *vágado*". As alterações mais significativas consistem, todavia, na atenuação ou no revigoramento de afirmativas, na substituição de frases inteiras, em achegas de oportuna erudição, no encarte de longos trechos de ensaios posteriormente escritos, que se transpõem, afinal, para o lugar mais adequado.

Em verdade, as emendas de Eduardo Frieiro, neste como em outros livros, dariam matéria a frutuosas disquisições estilísticas.

Muitas em *A Ilusão Literária* traduzem adaptação consciente aos novos tempos, sem, contudo, atingir as ideias essenciais. Temeroso do aborrecido entono professoral, o autor vai logo afirmando, na frase inicial do preâmbulo: "Falta-nos autoridade para dar conselhos a quem quer que seja". Ora, leu desencadernadamente desde a meninice, idade que lhe caiu nas mãos o *Dom Quixote*. Quando publicou o primeiro livro 1927, já costumava enviar matérias a jornais, geralmente firmadas com pseudônimos. *A Ilusão Literári*a, que deu ao prelo nos seus 42 anos, aparenta corresponder, deliberadamente ou não, ao desejo de rever o seu próprio modo de considerar a problemática da literatura e o procedimento preferível, no apetecido ofício de escritor.

Conselhos, sempre os deu, modestamente embora. Dirige-os a outrem, muita vez indiretamente, por meio de afirmações e conclusões um tanto vivazes, beirando o tom polêmico, não só na ocasião em foram expendidas, mas perante ideias falsas que hoje andam na moda.

Declara, ainda no preâmbulo, que procuraria dissuadir o aprendiz de escritor de escolher a carreira das letras e aduz: "Não falta quem pense, talvez com razão, que a atividade literária na nossa terra a nada mais conduz que a um estéril diletantismo". A desabusada afirmativa, já exagerada na época, vem desenvolvida no capítulo intitulado *Literatura e Ambiente*: "Teimar em ser escritor numa terra em que as coisas literárias são tidas como nulas ou pouco menos que inexistentes, é positivamente não ter bem-conformada razão", o que exigiu, agora esta nota: "Advirta o leitor que estas páginas foram escritas em 1932. De então para cá, a situação das letras no Brasil mudou muito".

Diria — ainda hoje — ao interlocutor imaginário: "— Consagrar a vida a um ideal estético, é colocar-se fora do nosso tempo e fora do quadro do nosso idioma. Engordar e morrer na abastança, eis a verdadeira finalidade de todo homem que, numa sociedade burguesa, deseja ser útil a si, aos seus e à pátria. Para que escrever, então? Ao que ele poderia replicar:- Para quê? Para nada. Mas justamente esse nada - a ilusão literária é tudo para certa raça de imaginativos. É dessa ilusão que se alimentam os indivíduos de curso lento, os introvertidos, os que aborrecem a vida frenética e cobiçosa dos indivíduos voltados para fora e só pedem que lhes seja permitido saborear devagarinho as doçuras e branduras das coisas inúteis. A esta raça livre e pródiga pertencem os que preferem a fantasia à realidade e acham que a vida vale a pena de ser...escrita".

Impossível pelo visto o ceticismo absoluto. A saída estaria em se refugiar na filosofia do "Als Ob", o "como se..." de Vaihinger de Halle que, após cogitar durante 40 anos, estendeu a todos os domínios, da ciência à arte da palavra, essa conformidade tranquila com a dúvida metódica, que se impôs, ou acreditou impor-se, Eduardo Frieiro, haurindo-a na divulgação do seu mestre, João Ribeiro, feita por 1923, em *Notas de Um Estudante* (pág. 29 e segs.).

Tal caminho vai dar a "mais cara das nossas ilusões", observa. "Como poderíamos explicar — prossegue — este e outros livros nossos, escritos unicamente pelo prazer de falarmos de coisas que nos são gratas?"

Ilusão ainda mais fagueira que as outras. O amor à coisa escrita conduz, necessariamente, à crença na literatura.

Inegável no autor, rendeu os ensaios que o belo título unifica. Em nada se parecem com os correntes manuais e preceptivas. Nunca descambam na habitual secura de tais livros. São páginas de grande escritor empolgado pelo assunto da sua predileção, e do qual se pode afirmar, aplicando-lhe citação própria, aquilo que Nietzsche disse das qualidades que distinguem o perfeito prosador: "Concisão sólida, calma e madurez. Quando encontrares estas qualidades reunidas num autor, detém-te e celebra uma grande festa em meio do deserto, pois passará muito tempo até que experimentes de novo semelhante prazer".

Aires da Mata Machado Filho

Falta-nos autoridade para dar conselhos a quem quer que seja; porém se tivéssemos de os dar a algum aprendiz de escritor, seriam antes para dissuadi-lo da carreira das letras que para alentá-lo nessa via ingrata. Não desejaríamos aumentar, no mais mínimo, o número dos maus escritores. Além do que, não falta quem pense, talvez com razão, que a atividade literária na nossa terra a nada mais conduz que a um estéril diletantismo. Motivo por que diríamos ao nosso aprendiz de literato:

— Consagrar a vida a um ideal estético é colocar-se fora do nosso tempo e fora do quadro do nosso idioma. Engordar e morrer na abastança, eis a verdadeira finalidade de todo homem que, numa sociedade burguesa, deseja ser útil a si, aos seus e à pátria. Para que escrever, então?

Ao que ele poderia replicar:

— Para quê? Para nada. Mas justamente esse nada — a ilusão literária — é tudo para certa raça de imaginativos. É dessa ilusão que se alimentam os indivíduos de curso lento, os introvertidos, os que aborrecem a vida frenética e cobiçosa dos indivíduos voltados para fora e só pedem que lhes seja permitido saborear devagarinho as doçuras e branduras das coisas inúteis. A esta raça livre e pródiga pertencem os que preferem a fantasia à realidade e acham que a vida vale a pena de ser... escrita. Uns veem na reputação de escritor a máxima ambição da existência; outros encontram na leitura o mais sutil dos entorpecentes, a morfina que provoca os sonhos mais belos; estes e aqueles se nutrem da mesma poderosa ilusão feita de energias que não lograram transformar-se em atividades vitais.

Eis o que poderia responder-nos o nosso candidato a escritor.

E dar-lhe-íamos razão. Se a ilusão literária não fosse também a mais cara das nossas ilusões, como poderíamos explicar este e outros livros nossos, escritos unicamente pelo prazer de falarmos de coisas que nos são gratas?

LITERATURA E AMBIENTE

Teimar em ser escritor numa terra em que as coisas literárias são tidas como nulas ou pouco menos que inexistentes, é positivamente não ter bem conformada a razão*. Quem escreve quer ser lido. Toda obra escrita destina-se à publicidade; esse é o meio de que dispõe o escritor para comunicar com os homens, com os quais anda, no geral dos casos, malavindo. E embora não haja escritor que não sinta repugnância pela estultícia do público e o julgue indigno de ouvir as confidências duma alma delicada e sensível, também, por outro lado (traço este da psicologia íntima, tão contraditória, do artista), nenhum há que não almeje alcançar de alguma forma o favor desse mesmo desdenhado público.

Em toda parte, há duas espécies de leitores: a dos que formam a grande maioria de primários que se contentam com a literatura de pacotilha e fornecem o grosso da clientela dos jornais e revistas ilustradas, e a dos que constituem uma minoria culta, letrada, de paladar apurado e exigente. No Brasil, esta minoria de escol, mais ou menos *snob*, pouco se interessa pela literatura nacional; costuma, mesmo, armar-se de prevenções contra os que escrevem no nosso país, aos quais considera simples desnatadores de literaturas alheias. Os nossos produtos literários são tidos por ela como artificiais e de inferior qualidade, tal qual os produtos de certas indústrias criadas e alimentadas à sombra de escandalosas tarifas protecionistas. Se podemos conhecer as grandes literaturas no original, pensam os tais espíritos seletos, por que havemos de perder tempo com a leitura de imitações malfeitas num idioma mascavado e bastardo como é o português falado no Brasil?

* Advirta o leitor que estas páginas foram escritas em 1932. De então para cá, a situação das letras no Brasil mudou muito, - *NOTA DA PRESENTE EDIÇÃO.*

Todo brasileiro medianamente culto lê o francês correntemente; são cada dia mais numerosos os que compreendem o inglês; não poucos leem o italiano e mesmo o alemão; o castelhano é idioma tão semelhante ao nosso que se torna dispensável o aprendê-lo para que possamos entender perfeitamente.

Para explicar os seus belos triunfos literários, Joaquim Nabuco disse uma vez que "pensava em francês". Medeiros e Albuquerque afirmou algures "que a história literária brasileira é um capítulo da francesa". Com mais verossimilhança, creem outros que a literatura brasileira continua a ser um capítulo da portuguesa; e esta, sim, é que poderia, de certa maneira, ser considerada um apêndice das letras francesas. Mas não pode, evidentemente, embora copie da França todos os moldes do pensamento e do estilo. A literatura portuguesa, sobretudo a que representa a tradição clássica, tem feição particular, forte e bem marcada, nada podendo contra o seu sentido profundo o francesismo superficial de alguns brilhantes escritores modernos.

Quanto não seria melhor reconhecermos lealmente a originalidade e a importância da literatura brasileira! Mas parece que isso não é possível, não é verdade? Seria, talvez, fazer praça de excessivo otimismo. Convenhamos, então, que a literatura é planta exótica, mal-aclimada nestas terras em grande parte incultas do Brasil. Das letras de Portugal veio-nos um galho que recebeu depois enxerto francês e aqui vai vegetando pifiamente como planta imprópria da nossa paisagem. Isto não quer dizer que ao Brasileiro faltem os dons superiores para o cultivo das letras; o que lhe falta é uma ambiência feliz que favoreça a plena floração dos talentos. As obras literárias são produções que não dependem somente da boa qualidade do elemento produtor, mas também das condições favoráveis ou desfavoráveis em que elas podem ser obtidas. Ao artista não é possível isolá-lo das circunstâncias da arte. Como as artes em geral, a literatura é uma atividade de luxo, é flor estreme da civilização. À medida que se apuram as formas da vida e se incrementam os meios de cultura, vai se elevando, ao mesmo passo, a riqueza da vida interior dum povo e duma época. Mercê dessa influência cultural, cresce nos indivíduos, por uma parte, a receptibilidade para as impressões artísticas e, por outra, aumentam igualmente as exigências que uma época e um povo fazem à arte e aos artistas.

Só uma atmosfera singularmente propícia pode, com efeito, explicar as florações magníficas de épocas como as de Péricles e Adriano ou como o século XVII francês. Isto, porém não quer dizer que o talento para as letras e as artes não apareça mesmo nas circunstâncias mais desfavoráveis. Aparece, sem dúvida, embora de maneira esporádica e como manifestação exclusivamente individual. O ambiente desfavorável impossibilita a floração duma cultura artística, mas não impede o advento do artista. Do ponto de vista pessoal, a hostilidade do meio é antes um poderoso estimulante das faculdades criadoras. Como está em Isaías, *vexatio dat intellectum.*

Na realidade, a arte nasce quase sempre duma dissonância entre o artista e a vida. Todo artista, todo poeta, todo sonhador é um falhado; falhado diante da vida prática, bem entendido. Falhado, sim; mas nem por isso trocaria qualquer deles a sua existência às vezes dolorosa de inadaptado pela do homem prático mais contente de si mesmo. Há em todos o mesmo desdém e a mesma repugnância de Flaubert pela *hordequi pense bassement.*

Respondendo a elogios feitos ao seu *engenho de bem escrever*, exclamou certa vez Camilo Castelo Branco: *"Engenho de bem escrever... Antes eu tivesse um de moer canas ou de serrar madeiras!"* Claro que o grande Camilo, que tanto escarneceu em moço dos acaudalados negociantes do Porto e do filistino tripeiro, dizia aquilo sem convicção, por amor da piada e para mofar de si mesmo.

Quem se dispõe a ser escritor na nossa terra, embora esteja a cem léguas de Flaubert e de Camilo, é porque sente como esses ilustres e distantes confrades igual nojo pela vil pecúnia e pela grosseria dos processos de enriquecer. Doutro modo, teria preferido moer canas ou serrar madeiras.

A ARTE É LONGA

São muitos os que escrevem e poucos os verdadeiros escritores. Escrever como toda gente, é fácil; escrever bem, é extremamente raro e difícil.

Antes de se entregar ao público, um moço tem de se aprofundar primeiro na sua língua. Precisa escrever muito para si mesmo antes de escrever para os outros, e não deve aparecer na literatura senão com um estilo inteiramente formado. Dizem que Flaubert aconselhara seu discípulo Maupassant a escrever até os quarenta anos; nessa idade, parar, fazer uma seleção conscienciosa e dar a público apenas o que parecesse verdadeiramente digno de ser lido. Acha o leitor que essa idade já é demasiado avançada para se iniciar a carreira das letras? Para iniciá-la, talvez seja; não para triunfar nela.

Paul Valéry, em conversa com Fréderic Lefèvre, declarou que os artistas deveriam meditar um pouco sobre os métodos dos atletas: "*Observe* (disse ao seu interlocutor) *que não se deixa o atleta produzir senão quando ele alcançou o que se chama* uma boa forma. *Alguns moços, às vezes, me pedem conselhos. Ofereço-lhes esta fórmula: procurem atingir condições de realização tais que, depois de feita a obra, o artista permaneça mais forte e mais seguro de seus meios. Assim* (prosseguiu), *qualquer que seja o destino exterior da obra, esta não será jamais para o artista uma decepção total ou uma satisfação de pura vaidade.*"

Em verdade, só com o decurso do tempo e depois de larga preparação, é que se podem obter produtos maduros e opimos. É raro que o talento literário ou artístico se imponha com vigor antes dos trinta anos. Eça de Queirós e Anatole France (por lembrarmos dois nomes muito conhecidos) começaram a escrever um tanto *sur le tard*, numa idade em que os seus contemporâneos já haviam alcançado renome. O mais nato, talvez entre os romancistas natos da França, George

Bernanos, tinha perto de quarenta anos, quando deu a lume seu primeiro romance. Machado de Assis, o verdadeiro Machado de Assis que todos admiramos, alcançou a plenitude do talento criador aos quarenta e dois anos com a sua primeira grande obra, as *Memórias Póstumas de Brás Cubas*. E não é certo que só aos quarenta anos Rousseau compreendeu que era escritor? Aos quarenta publicou Graciliano Ramos, o mais perfeito ficcionista da geração nordestina surgida nos anos de 30 a 40, o seu primeiro romance, *Caetés*, Eis porque, com grande aparência de razão (que os exemplos citados ilustrariam), Eugênio d'Ors considera feliz o homem de quarenta e cinco ano cuja personalidade conta já um lustro.

— Quarenta anos! exclamará esmorecido algum jovem candidato a escritor. — A vida é curta... o tempo aperta...

Sim, a vida é curta para se construir uma obra bela e forte, e a glória chega (se algum dia chega) *"já quando as cãs alvejam na mirrada cabeça"*, como cantava o poeta Garção.

Palavras nada animadoras para os jovens corações que ardem no desejo de atingir dum golpe o galarim da fama. Mas é sabido que a paixão da glória só traz tristeza e decepção.

A arte, está entendido, é filha do tempo e da experiência, é vida vivida e sofrida. Sem dúvida aos que nasceram com uma grande riqueza de alma e possuem a centelha do espírito criador é permitido desdenhar os longos aprendizados e confiar nas súbitas iluminações. Porém os que não estão nesse caso especialíssimo devem capacitar-se, com Baudelaire, de que "a inspiração é a recompensa do exercício cotidiano". Não há criação sem gestação. Mesmo as iluminações repentinas são os sinais manifestos dum longo trabalho inconsciente anterior.

Entre os quinze e os vinte anos, não são poucos os colegiais que experimentam o desejo de fazer versos nos quais procuram traduzir as inquietações próprias da idade, espécie de acne que acompanha as conhecidas perturbações da puberdade e com elas desaparece. Os mocinhos chamam arte e esses pecadilhos da mente, do mesmo modo que, ignorando ainda as aventuras verdadeiramente viris, confundem o vício solitário com o amor. Mais raramente o desejo de fazer versos corresponde a uma verdadeira vocação poética. Se este é o caso de algum aprendiz de escritor, não há inconveniente em que os escreva e publique. Ao contrário, haverá nisso duas vantagens: a de ir entretendo o seu amor às letras e a de fazer um nome entre os jovens ledores de versos e sobretudo entre os seus companheiros de cenáculo; porque pertencerá a um cenáculo, seguramente.

Escrever versos, ao que parece, é mais fácil que escrever prosa, e tudo está bem quando o poeta existe. Se não existe, é a mesma coisa, porque na pouca gente capaz de distinguir o bom poeta no meio de cem versejadores medíocres.

O fato é que, se o prosaísmo é próprio da madureza, a poesia é a linguagem natural da juventude. A verdadeira poesia, a poesia pura, pouco tem que ver com a arte literária. No poeta, o ser espiritual é mais instintivo, menos sujeito à tirania das retóricas e prosódias. A prosa é formal, aristocrática, apolínea. A poesia é inefável, romântica, dionisíaca.

Aos versos pode juntar-se também a publicação de crônicas ou fantasias em revistas ou jornais, que inserem facilmente essa matéria de colaboração e não cobram nada por isso.

É um gênero anódino de literatura, o qual, se não traz glória ao futuro autor, também não o compromete.

O caminho da arte é longo e os seus horizontes são largos como os da vida. Quem nele se oriente, há de palmilhá-lo com lentidão, o passo vacilante, o gesto incerto, o olhar inquieto. Não se nasce perfeito, isto é, concluído, acabado, finito.

— Sabe quantas gerações são necessárias para chegar a produzir um *gentleman*? dizia um vaidoso cavalheiro inglês a G.B. Shaw. — Dez, pelo menos.

— Ainda acho poucas, respondeu Shaw. — Mas, quantas imagina o senhor que são necessárias para produzir um fino literato?

— A vida, perpétuo *devenir*, parece mesmo o contrário da perfeição. Perfeito nasceu o sábio Confúcio, concebido, segundo os Chineses, dum raio de sol que fecundou o ventre duma virgem. Porém quando nasceu já contava oitenta anos. Quem quer ser perfeito nessa idade? Quem quer ser, dum golpe, velho e sapiente sem ter sido antes moço com todas as ignorâncias, imperfeições e inquietudes da mocidade?

DA LINGUAGEM E DO ESTILO

Está entendido que quem abraça a carreira das letras deve saber escrever. Um escritor relaxado, sem correção de linguagem, é um escritor incompleto e manco, é apenas o esboço dum escritor. A arte de escrever tem regras de asseio e polidez que não devemos infringir se não queremos passar por mal-educados. E neste sentido que diz com toda razão um primoroso cultor do idioma vernáculo, o escritor português Afonso Lopes Vieira, que *"há uma dignidade de sintaxe como há uma civilização de maneiras: cometer certos erros, pode ser o mesmo que cuspir no chão"*.

É comum nos principiantes a afetação de desdém pelas questões de gramática. É o mesmo desdém da raposa pelas uvas que não pode alcançar. O fato é que não se fala nem se escreve sem gramática. E uma questão de mais ou de menos. O iletrado que se exprime naturalmente bem, faz gramática sem o saber. Os que a condenam por enfadonha e inútil estão equivocados: na realidade, não condenam a gramática, que é por definição a arte de falar e escrever corretamente, senão o gramaticalismo, a *professoria lingua*. O amor às regras da boa linguagem, como qualquer outra tendência ótima, está exposto ao abuso, quando o excessivo rigor no emprego de tais regras coarta a originalidade e produz a frequente anomalia que consiste em confundir o meio com o fim. Mas é força convir que, nesta matéria, mais vale pecar por excesso do que por falta. O escrúpulo de linguagem, o esmero da forma, é de todo artista em todo lugar e em todo tempo. Conta-se que o Cardeal Bembo, autor do epitáfio em dístico latino que se lê gravado sobre o túmulo de Rafael no panteão de Agripa, negava-se a ler seu breviário porque a latinidade nele lhe parecia defeituosa; e era esse mesmo fino e erudito secretário de Leão X que chamava à missa de *Requiem* um sacrifício feito aos manes.

Jacques Boulenger e André Thérive verberam, em *Les Soirées du Grammaire-Club*, a influência perniciosa que exercem sobre a língua francesa os maus escritores, falsos artistas, bárbaros cheios de afetação que se introduziram clandestinamente na república das letras e que, incapazes por ignorância ou inabilidade de se utilizarem do instrumento complicado que gerações e gerações de franceses forjaram, pretendem reformá-lo grosseiramente para seu uso.

O trabalho do verdadeiro homem de letras consiste em amparar a linguagem, mais que em a renovar ou subverter. Ser revolucionário é fácil; mais difícil é ser continuador e conservador. A irrupção na literatura inglesa (queixava-se um escritor britânico) de vocábulos de calão, de palavras cosmopolitas, de expressões tiradas do linguajar de *atelier*, da gíria dos teatros, dos salões e do ambiente esportivo, tornou-se verdadeira mania que anda a desfigurar a nítida beleza do elóquio de Shakespeare, de Browning e de Johnson. A febre do *slang*, da prosa chata, em mangas de camisa, grassa na Inglaterra como um tempo do *Liberty Style* e do *Mah-Jong*. De Kipling (conclui o aludido escritor) chegamos a Joyce, isto é, em pleno marasmo estilístico.

Ouvem-se em toda parte as mesmas queixas, e estas não são novas, o que prova que os inimigos da boa linguagem há muito que pelejam por impor seu ponto de vista, mas não conseguem senão protestos indignados.

O pleno domínio da linguagem é virtude tão excelsa que dela depende, antes de nada, a felicidade do escritor e, em boa medida, a do próprio leitor. Em que consiste, na opinião de Emerson, o principal mérito de Shakespeare? Consiste nisto: Shakespeare, entre todos os homens, é o que entende melhor a língua inglesa e pode dizer nela o que bem lhe apraz.

Só o estilo salva o escritor. Santo Hilário de Poitiers (tiramos de Remy de Gourmont) tinha o mau estilo em conta de pecado. Pecado é, realmente; pecado contra o Espírito, que é Verbo; pecado contra a Beleza, principal razão de viver de muita alma pagã. O próprio Santo Agostinho pensava como esteta quando disse que se deve pôr toda beleza a serviço da verdade.

O verdadeiro escritor busca incessantemente a harmonia do estilo e do pensamento. Na juventude, ama-se o vocábulo, a imagem, a frase; mais tarde, quando já se domina a palavra escrita, o que sobretudo preocupa é o pensamento. E aqui tocamos na velha pendência do fundo e da forma, que se parece muito com a velhíssima controvérsia sobre a natureza do corpo e da alma. Pode-se fazer distinção entre a forma e a substância? Não, responderia um aristotélico, não se pode separar a substância da forma que ela reveste, como não é possível nomear a forma sem referência implícita à substância que nela se contém. A matéria é o elemento potencial, imperfeito, ainda não elaborado e que talvez não o seja nunca. A forma, a enteléquia, é o elemento que transforma potencial em atual e definitivo.

Pode haver distinção entre o pensamento e o estilo? Não pode, dizem uns, porque o pensamento está em absoluto unido à sua representação. A forma é o principal, afirmam outros; forma, ou representação escrita de algo que move o nosso espírito, vale tanto como arte literária. E recordam o dito de La Bruyère: *"Homero, Platão, Virgilio, Horácio não estão acima dos outros escritores senão por suas expressões, e por suas* imagens*"*. E o de Buffon: *"As obras bem-escritas são as únicas que passarão à posteridade"*.

A teoria favorita da escola francesa da "arte pela arte", que foi a escola de Teófilo Gautier, de Baudelaire, de Flaubert e de outros espíritos singularmente brilhantes e fecundos, sustentava que a beleza duma obra literária é totalmente independente da qualidade dos sentimentos que nela se exprimem e do interesse que esses sentimentos possam inspirar por si mesmos. A forma era tudo; o fundo não tinha importância. Assim é que Flaubert sentia não ter escrito um romance acerca do Duque de Angoulême porque a insignificância de caráter desse príncipe fazia dele um herói ideal para a literatura.

Em completa oposição ao ponto de vista da *arte pela arte*, que vê no artificial a matéria poética por excelência, colocam-se os que na literatura consideram apenas os sentimentos, as paixões, as ideias do escritor. Para estes, o estilo é um elemento acessório, de pouca duração, e o predomínio do interesse pela forma pode redundar em prejuízo da vida interior. Os solitários de Port Royal, porfiando em ser tão descuidados no estilo como no vestuário, ocultavam os seus dons naturais (se os tinham) numa insuportável prolixidade. Entretanto, houve quem o notasse, se a lembrança desses jansenistas austeros veio até nós, foi devida ao feliz acaso de terem vivido com eles dois escritores de gênio, Pascal e Racine, que elevaram ao pináculo da perfeição a prosa e a poesia francesas.

Nesta questão do conceito e da forma, do sentimento e da imagem, do pensamento e do estilo, a verdade parece estar justamente no que diz Benedetto Croce:

"Conteúdo e forma devem distinguir-se perfeitamente na arte, porém não podem qualificar-se separadamente como artísticos, precisamente por ser artística unicamente a sua relação, isto é, a sua unidade, entendida não como unidade abstrata e morta, senão como a concreta e viva síntese a priori. *A arte é uma verdadeira síntese estética a* priori, *de sentimento e imagem na intuição, da qual pode repetir-se que o sentimento sem a imagem é cego e que a imagem sem o sentimento está vazia."*

Passemos esta matéria contraditória e confessemos a nossa predileção pelas obras bem-escritas, que são exatamente as obras bem-pensadas. *"Todo embrião é feio*, diz o Conde de Keyserling. *Só a página bem-acabada consegue dar vida ajustada à expressão"*. O "mago" da Escola da Sabedoria, de Darmstadt, é acima de tudo um escritor artista, o que explica principalmente a sedução das suas ideias filosóficas. Francis Bacon, que inaugura o pensamento moderno e marca o seu ponto mais culminante, era um estilista tão admirável na prosa quanto Shakespeare no verso. Bergson, igualmente, não teria decerto a grande voga de que goza em todo o mundo se não fosse um espírito ornado de brilhantes galas literárias. Também o extraordinário prestígio de um pensador como Schopenhauer ou de um psicólogo como William James vinha da maneira viva e clara com que apresentavam as suas ideias. Nietzsche foi grande estilista e um dos maiores prosadores alemães, marcando época na história literária do seu país. Por seu admirável estilo, Nietzsche é julgado superior a todos os filósofos, excetuando-se talvez Platão, que aliás atribuía grande valor a um estilo colorido e finamente matizado, e cujo *Banquete* alguns consideram a joia mais formosa da literatura universal.

Uma tradição que os moços não deveriam perder é esta: a tradição dos trabalhos aturados, do polir incessante, sem o qual poucas obras-primas teriam existido. Toda imagem, toda ideia, devem ser reduzidas a um trabalho de correção mental. Não se trata de aperfeiçoar a forma, porque não é forma o que custa a um verdadeiro escritor; trata-se de corrigir o próprio pensamento despojando-o das trivialidades inertes. Sem esse esforço de redução mental, as mais justas ideias não produzem eco nem logram eficácia.

A forma, isto é, a expressão literária, não pedestre, eis a ambição de quem escreve. Virgílio deu cor poética à agricultura, Machiavelli à política, Buffon à ciência. Grandes exemplos.

A essência da arte do perfeito prosador, o segredo de seu estilo, está em pensar as coisas com clareza e em saber dizê-las. Clareza é a primeira qualidade que se deve exigir da linguagem escrita. Depois, a probidade. Depois, a modéstia, que nem sempre quer dizer pobreza ou vulgaridade. Tudo combinado com a capacidade de organizar e compor.

O fato é que o estilo é pessoal como a cor dos olhos ou o teor da voz, e cada qual pode escrever bem a seu modo. Pode-se escrever bem numa linguagem simples ou concisa, da mesma forma que se pode escrever bem numa linguagem adornada, ou até superabundante. Voltaire odiava a retórica, detestava a beleza formal, aborrecia as frases. "*Je n'ai pas fait une phrase de ma vie, et je m'en vante*", dizia ele. Para os Goncourt, ao contrário, o epíteto raro era a marca do escritor, e nas metáforas engenhosas resumiam toda a arte de escrever. O famoso binômio literário pertencia à "aristocracia verbal", como chamava Rubén Darío ao gosto de caçar imagens e palavras peregrinas, muito em voga no tempo dos corifeus de *l'écriture artiste.* Na mesma França, existiu sempre, junto à prosa rápida, enxuta, voltaireana, outra de largos períodos sinuosos: Bossuet, no passado; Proust, no nosso tempo.

Que estilo devemos preferir? Pergunta difícil de responder. Em questões de estilo, que são questões de estética, só há um guia: o gosto de cada um. A pergunta pode ser formulada doutra maneira: Que estilo prefere a nossa época? Aparentemente, as preferências da nossa época vão para o estilo breve, concentrado, econômico, que poupa tempo e esforço ao leitor. Isto é verdade sobretudo na França onde predomina o estilo sóbrio, denso, medido, e cuja língua é um admirável instrumento de precisão. Entre Portugueses e Brasileiros, já não é tão marcada essa preferência, se porventura existe. Com efeito, nada há mais contrário às tendências da nossa língua e ao gosto da nossa raça luso-brasileira que a *jejuna oratio*. Na tradição literária do idioma português, que não conhece freios e entraves, tradição que atinge o pináculo no luxuriante engenho vocabular de Camilo e no gênio verbipotente de Rui Barbosa, encontram-se audácias de construção sintática que encheriam de susto a um francês, mas que a nós outros parecem naturais e de acordo com as exigências da arte mais severa. De nossa parte, acusaríamos os Franceses de moderação excessiva e de pobreza de expressão.

O gênio da nossa língua tem uma base indestrutível de eloquência vieiriana e de ênfase verbal. Mas, não obstante a tradição retórica e causídica da nossa gente, não são de todo raros nas letras de Portugal e do Brasil os que escrevem com simplicidade. Constituem, entanto, a exceção que confirma a regra. Entre os poucos excetuados sobressai em primeiro lugar Machado de Assis. Amando a medida e a verossimilhança, o estilo do grande prosador brasileiro é o mais equilibrado, o mais evidente, o mais preciso, entre o de quantos escreveram em língua portuguesa, o melhor dotado das virtudes de ordem que admiramos nos Franceses. Maravilha encontrar-se num escritor mestiço aquela limpidez de estilo, a pureza clássica da sintaxe, o justo equilíbrio do tom, a sábia dosagem na ironia e no *humour*. Não há dúvida: um Merimée brasileiro, de sangue afro-lusitano, é para deixar perplexo a quem quer que ainda busque explicar a criação artística pelo tríplice influxo da raça, do momento e do meio. Mais que Eça de Queirós, logrou Machado de Assis libertar a prosa portuguesa da profusão verbal e da amplificação retórica. Disciplinou-a, construiu-a com sóbrio rigor e deu-lhe uma pontuação frequente, tornando-a discreta, dúctil, matizada. Verdade é que o seu gosto timorato, se constitui útil obstáculo à incontinência vocabular e à desordem imaginativa, impede, ao revés, o concurso de dois elementos incompatíveis com a análise frequente e minuciosa, e que são a fantasia e o impulso criador.

A extrema concisão da linguagem leva a litotes e evolve logicamente para o estilo telegráfico. A simplicidade em excesso pode significar secura, languidez, carência de meios de expressão. De inversa maneira, o vezo de falar por imagens, quando exagerado, isola a fantasia do coração e do cérebro e faz cair o escritor no estilo afetado e precioso. A opulência estilística outra coisa não é, o mais das vezes, que riqueza de pobre; puro psitacismo, simples intemperança verbal.

Nietzsche, que escreveu tanta coisa acertada acerca do estilo, tem no seu livro *O viajante e a sua sombra* estas admiráveis palavras contra os inovadores da linguagem:

"Introduzir neologismos ou arcaísmos na linguagem, buscar o raro e o estranho, preferir a riqueza das expressões à sua restrição, são sinais estes, sempre, de que a linguagem não chegou ainda à maturidade ou já se corrompeu. Uma nobre pobreza, mas sem aparência alguma, uma liberdade de mestre, é o que distingue na Grécia aos artistas do discurso: querem possuir menos que possui o povo — pois o povo é o mais rico em coisas antigas e novas, — porém esse pouco querem possuí-lo melhor."

Deixemos ainda com a palavra o criador de Zaratustra para que nos diga quais são no seu entender as qualidades mestras do perfeito prosador:

"Concisão sólida, calma e madurez; quando encontres estas qualidades reunidas num autor, detém-te e celebra uma grande festa em meio do deserto, pois passará muito tempo até que experimentes de novo semelhante prazer."

A RELIGIÃO DA OBRA BEM-ACABADA

Todos os manuais de literatura aconselham a trabalhar o estilo, a retocar as frases, a corrigir o pensamento, até que pareça impossível fazer melhor. O escritor deve apurar a forma, aperfeiçoar a obra, com insistência, com tenacidade. O primeiro jacto, por mais viva e fecunda que seja a inspiração, deixa sempre que desejar. Os textos aparentemente mais frescos e espontâneos costumam ser o resultado de pacientes e sábias sobreposições.

Flaubert ficou como o arquétipo do escritor laborioso e torturado. Escrevendo numa época de autores singularmente fecundos, na idade de ouro do romance e do conto, admira que tenha deixado somente seis obras; em todo o caso, diga-se logo, seis obras-primas. Flaubert, que acreditava piamente que fora da arte não havia neste baixo mundo senão ignomínia, o suarento Flaubert penava como um negro no eito quando se punha a escrever as suas páginas imortais: consumia dias seguidos para evitar um hiato ou uma assonância e batia-se noites inteiras contra o adjetivo que teimava em não acudir ao apelo da memória. Flaubert, entanto, — o que são as coisas! — jamais poderia adivinhar que as suas cartas, escritas sem nenhum esforço, seriam hoje mais apreciadas que os livros que deu a lume com tanto trabalho!

O criador de *Bouvard et Pecuchet* não foi o único que sofreu as torturas da criação. O estilo é uma fé que faz numerosos mártires voluntários. Raro é o escritor verdadeiramente grande que não possa figurar nesse martirológio. Sobretudo nos mestres da prosa é visível o trabalho vigilante e aturado. Dizem que Chateaubriand refazia até dez vezes a mesma página. Buffon recopiou dezoito vezes as suas *Épocas da Natureza*. Pascal refundiu até quinze vezes algumas das suas *Provinciais*. Casos como estes são numerosíssimos na história de todas as literaturas.

Referindo-se à maneira de trabalhar de Leão Tólstoi, conta-nos um dos seus biógrafos que o grande romancista russo, uma vez fixado o assunto e assentadas as grandes linhas da ação duma obra, amadurecia no cérebro todos os pormenores que entrariam na sua composição. Criava assim, plasticamente, as suas personagens, vendo-as viver na própria mente, notando-lhes a fisionomia, as atitudes, os gestos, a maneira de andar, de vestir, de falar, e imaginando-lhes, até o timbre e as inflexões da voz. Com esses elementos, escrevia duma assentada, sem emendar, febrilmente, boa parte da obra. Depois, deixava lado, até que, tendo recuperado o mais completo sangue-frio, a pudesse reler sem qualquer exaltação. Então, sim, batia-se com o primeiro texto, emendar, modificava, suprimia páginas e acrescentava outras, introduzindo ideias novas. Com admirável severidade crítica, sacrificava textos inteiros, às vezes excelentes, pelo horror que tinha ao efeito inútil e por amor à naturalidade e à singeleza, mais conformes ao tom normal da vida. Procedendo assim (confessava Tólstoi), obedecia ao movimento instintivo com que o penetrava a arte e também ao profundo respeito que tinha por todas as funções, quaisquer que fossem as que devesse executar. *"Quando fabrico os meus* lapti (sapatos de fibra de tília) *ou quando remendo as minhas botas de couro, procuro fazê-lo da melhor forma, honrando destarte ao Criador que me deu, ao mesmo tempo, os dons de escritor e as habilidades de sapateiro".* Assim dizia o Conde Leão-Nicolaievitch Tólstoi, que fazia profissão de humildade e tinha a religião da obra bem-acabada.

Balzac, grilheta da pena, corrigia o estilo nas provas tipográficas, e corrigia com frenesi. Anatole France exigia dos seus impressores até seis ou oito provas, e emendava tanto que, nas derradeiras, era milagre notar-se qualquer vestígio do texto primitivo. Também Eça de Queirós levava aos últimos extremos o hábito de emendar. A transparência, a rara elegância, a admirável precisão de sua prosa, devem-se à laboriosa felicidade com que a polia e repolia. A arte de escrever, nestes casos, outra coisa não é que a arte de emendar.

Obter um máximo de expressão artística com um mínimo de meios técnicos é o princípio que deve guiar o verdadeiro artista. A difícil simplicidade: eis o segredo de toda arte. Por isso declarava Miguel

Ângelo, artista múltiplo, gênio universal: *"As obras realizadas à custa de muito trabalho devem parecer, a despeito da verdade, fáceis e concebidas sem esforço... A grande regra é penar muito para se criarem coisas que pareçam não ter custado nenhuma pena."*

Os improvisadores das letras, ou melhor, tomando o gênero pela espécie mais comum, os jornalistas, não compreendem essa necessidade infinda de corrigir a forma e o pensamento. Mas os jornalistas pertencem a uma espécie diferente, subliterária; vivem sob o signo da urgência, e nada do que se faz urgentemente pode ser feito com inteiro prazer e, portanto, com perfeição.

FALAR E ESCREVER

Quem escreve deseja ser lido pelo maior número possível de pessoas. Para isso é preciso que escreva com clareza, de modo a ser entendido pelo leitor mediano. Boa linguagem será, por conseguinte, a que exprima satisfatoriamente uma relação condicional entre a faculdade de expressão média e a capacidade de compreensão média.

Já não há, como na antiguidade romana, um *sermo nobilis* bem distinto do *sermo vulgaris*. Uma língua literária completamente separada da língua vulgar é impossível nos nossos dias, o que não quer dizer que uma e outra sejam a mesma coisa. Simples notação do discurso, que era no começo, a escrita acabou adquirindo vida própria, subordinada a leis especiais. Embora se prendam originariamente às formas orais e com elas variem e se modifiquem, as formas escritas dum idioma são dotadas de virtudes conservadoras que de certo modo as fixam e preservam de rápida corrupção, amparadas como estão pela gramática, pela difusão cada vez maior da instrução e pela cultura intelectual dos que leem e escrevem.

É fora de dúvida que os idiomas vivem e se desenvolvem produzindo novas palavras e abandonando as que envelhecem, mas o bom uso do idioma vivo aconselha, em cada momento, a proceder com precaução, cálculo e severidade. Novas formações são de contínuo acolhidas pelo uso e logo passam por uma espécie de revisão em que o supérfluo e o estranho são repelidos como convém.

O uso faz a linguagem do povo, mas quem decide as questões de boa linguagem é o bom uso, *id est* a gramática. A palavra escrita conserva as línguas, a palavra oral as destrói. Entregue aos caprichos do uso vulgar, o idioma geral duma nação não tardaria em corromper-se, em desfigurar-se, em decompor-se em inumeráveis dialetos e geringonças. Diz Remy de Gourmont que uma língua não escrita não sobrevive à sensação que a criou, e acrescenta que entre os povos primitivos cada geração constrói a sua língua, tanto que um avô é um estrangeiro entre os seus netos. Por isso é que o estudo das línguas ameríndias foi sempre um cipoal de enredos inextricáveis. Já o Padre Simão de Vasconcelos notara, no limitado campo de sua observação, muito mais de cem línguas brasílicas, e o entendê-las era tão difícil, que o Padre Antônio Vieira teve de se confessar zonzo: *"Há línguas entre elas de tão escura e cerrada pronunciação"*, disse o grande clássico seiscentista, *"que verdadeiramente se pode afirmar que se não ouvem. Por vezes me aconteceu estar com o ouvido aplicado à boca do bárbaro, e ainda do intérprete, sem poder distinguir sílabas, nem perceber as vogais, ou consoantes, de que se formavam..."*

Depoimento sumamente interessante é o do padre dominicano Marie H. Tapié, que há poucos anos visitou as missões francesas que evangelizam os selvícolas ribeirinhos do Araguaia. Aludindo à horrível algaravia dos Carajás e Caiapós, diz no seu saboroso livro *Chez les Peaux-Rouges* o clérigo viajante: "*A língua diverge não só de tribo para tribo, mas na mesma tribo, variando segundo as aldeias e, por vezes, segundo os diversos pequenos agrupamentos duma mesma aldeia escalonados ao longo do rio. A mais e mais, entre os Carajás, as mulheres não falam a mesma língua que os homens; elas colocam antes de cada ditongo, mesmo no corpo da palavra, um som correspondente ao nosso k, o que, para os nossos ouvidos, muda completamente o som e a palavra.*"

Recorde-se o caso do *papiamento*, um dos mais estranhos idiomas conhecidos, talvez o mais singular entre todos, falado por cem mil pessoas, em três pequenas regiões do continente americano, as ilhas de Aruba, Curaçau e Bonaire. Língua rude, cujo elemento básico é o crioulo português, levado ali pelos escravos e mesclado, no curso dos tempos, com o espanhol, o holandês e elementos de dialetos indígenas. Usado, sem regras, por gente inculta, tornou-se um linguajar de compreensão difícil, falado com variantes infinitas.

Não é só entre os selvagens e entre os povos menos adiantados. A mesma babel de prosódias se verifica também, de certa maneira, entre os povos mais civilizados e de idioma nacional mais uniforme. Desta opinião era George Bernard Shaw, quando, numa reunião de intelectuais em que se tratava uniformizar a pronúncia inglesa, declarou como seu desenfado habitual que na Inglaterra, não se falavam menos de quarenta e sete milhões de dialetos, querendo com isto significar que cada cidadão britânico pronunciava o inglês duma maneira pessoal, arbitrária, diferente. Facécia à parte, a verdade é que cada indivíduo usa uma linguagem à sua feição, não sendo exagerado afirmar que a variedade nos modos de falar e de escrever um mesmo idioma é tão grande como a que existe entre os semblantes das pessoas. Por isso, o eminente filólogo Karl Vossler chega até a pensar que cada pessoa tem seu idioma.

Os filhos de um mesmo país estão longe de ter todos o mesmo nível mental ou a mesma fisiologia dos órgãos vocais. Como poderiam então falar um mesmo idioma? A meia língua dum rústico analfabeto ou dum taverneiro de letra gorda, cujo vocabulário não vai além de quinhentas palavras, não é nem pode ser a mesma rica e variada linguagem do homem culto que dispõe de cem mil vocábulos com as ideias correspondentes.

Precisamente do estrume das gírias especiais e das falas particulares é que desabrolha a flor da boa linguagem, cujo perfume se conhece nos bons escritores e na conversação das pessoas ilustradas. O melhor duma língua viva só se conserva nos espíritos que sabem pensar e a tratam com amor intelectual e são estes precisamente os que fornecem os modelos da arte de bem-escrever.

Se não há, em verdade, duas línguas cultas independentes, uma oral e outra escrita, há dois usos diversos dentro da escala infinita de matizes que colorem a língua comum. Em todo o caso, pode dizer-se que a linguagem literária, como arte que é, representa o artificial dentro do natural.

Muitos, entretanto, são de opinião que se deve escrever pouco mais ou menos como se fala. Perfeitamente. Mas como fala quem? Sem dúvida, como a gente que fala melhor.

O IDIOMA NACIONAL

A questão do falar e do escrever agrava-se sobremodo na nossa terra por causa da debatida divergência entre a prosódia portuguesa e a brasileira. Embora no Brasil não se fale propriamente um dialeto, é forçoso reconhecer que os Brasileiros vão firmando com o correr do tempo a sua autonomia linguística. Trata-se de fenômeno natural, inelutável: uma língua viva começa a divergir por vários modos quando transplantada para um meio diferente, como é o caso da nossa.

Aliás não se notam divergências unicamente entre o português falado no Brasil e o que se fala no continente europeu. Diferenciações fonéticas, dia adia mais acentuadas, também se notam nos sub-organismos da nação brasileira. Há particularismos linguísticos no Norte, ao Centro e no Sul do país que permitem reconhecer facilmente pela fala o Nortista, o Mineiro, o Carioca, o Gaúcho. No próprio território de Portugal, que é das raras nações em que se fala uma só língua, existem e sempre existiram desses particularismos orais, como já o notava o mais antigo gramático do idioma luso, Fernão de Oliveira. São também sem conta as variações fonéticas do castelhano falado na América espanhola, nas Filipinas, em Cuba e nas diversas províncias de Espanha. O mesmo se pode dizer do inglês falado nos Estados Unidos e nos domínios e colônias britânicas. Os amadores de *broadcasting* de Londres e de Nova York, de Sydney e da Cidade do Cabo, queixam-se de que não entendem o inglês de uns e de outros. Tal, porém, não sucede com o inglês e o castelhano escritos, que são mais ou menos uniformes e igualmente inteligíveis em qualquer parte.

O fato é que os sinais do alfabeto são insuficientes em qualquer língua para representar os infinitos matizes vocabulares. Em suma: se na linguagem escrita é possível obter-se relativa unidade prosódica, na linguagem falada é coisa de todo impossível. Eis porque se esforçam os que amam a língua, por conservá-la pura, rebelde aos regionalismos e às evoluções precipitadas. Se não se opusessem obstáculos às transformações linguísticas demasiado rápidas, nossos netos não compreenderiam a linguagem dos avós.

Divergências prosódicas, lexicológicas e sintáticas existem, nem poderiam deixar de existir, nos dois países de fala portuguesa, mas não tamanhas que aconselhem um divórcio linguístico absoluto entre o Brasil e Portugal, como pretendem alguns escritores nossos cujo nativismo glótico traz a marca de serôdia lusofobia. A dar ouvidos a esses espíritos separatistas, a nossa emancipação como povo parece que não será completa enquanto não se romperemos últimos ligamentos umbilicais que nos prendem à tradição literária portuguesa.

A primeira voz de grande escritor nosso que reclamou autonomia foi a de José de Alencar, quando José Feliciano de Castilho e outros críticos o acusaram de falta de vernaculidade. O romancista cearense defendia-se dizendo que escrevia em *brasileiro*, isto é, de acordo com as tendências diferenciais do nosso idioma evolvendo no meio americano. A peleja que então se armou entre os partidários da tradição vernácula e os campeões da nossa independência linguística, nunca mais teve trégua e ainda hoje continua em guerrilhas mais ou menos acesas. Mas os resultados, é força dizê-lo, não têm sido nada favoráveis aos campeões do *dialeto brasileiro*, "*surrão amplo* (retire-se de Rui Barbosa) *onde cabem à larga, desde que o inventaram para sossego dos que não sabem a sua língua, todas as escórias da preguiça, da ignorância e do mau gosto...*" Pelo contrário, a vitória dos puristas deu mostras de ser, desde o começo, completa e decisiva. Antes de José Feliciano de Castilho ter instalado no Brasil o primeiro consultório gramatical para ensinar aos nossos letrícolas a correta dicção e o bom emprego dos pronomes, escrevia-se geralmente mal o português. Nossos escritores românticos, salvo raras exceções, eram relaxados no escrever, por desídia ou ignorância das regras da boa elocução. Como hoje ainda acontece, não houve escritor arguido de incorreto que não alegasse o brasilianismo de sua linguagem. Não existindo regras nem modelos para se escrever corretamente em brasileiro, estavam de antemão desculpadas as piores cacografias.

A reação, como é bem de ver, não partiu da maioria dos que escreviam mal o português contra os poucos que o sabiam. A reação partiu destes contra aqueles e tinha por fim inculcar entre nós o apuro do estilo. Que se viu então? Viu-se que quase ninguém deu ouvidos à pregação dos nativistas. Escrever em brasileiro era muito fácil: bastava escrever errado. Algo menos fácil, e portanto, mais estimável, era colocar bem os pronomes e escrever à feição dos clássicos. Eis o que todos queriam. Ia-se, pois, à consulta dos mestres linguagistas que pelas colunas dos jornais davam lições acerca do que se devia e do que se não devia dizer. Desde então, o problema da topologia pronominal, que no tempo de Alencar estava mal esclarecido, foi-se resolvendo em sentido favorável ao que vernaculistas indicam, embora contra o modo geral de expressão no Brasil. Deu-se tanta importância às questões gramaticais, que o resultado não podia ser senão aquele que José Veríssimo verificou com satisfação: o da melhoria do português no Brasil. "*Aqui, dizia o mais sensato dos nossos críticos, aqui se está escrevendo melhor, mais castiça e mais elegantemente do que nunca se escreveu, e, não me arreceio de dizer, em geral melhor do que em Portugal. Ao menos os nossos jornalistas e escritores ligeiros escrevem melhor que os de lá, não sendo a sua língua tão inçada de galicismos de construção e de vocabulário, como é a singular língua que se está escrevendo no Chiado*". Opinião essa corroborada por Cândido de Figueiredo com um enérgico "Apoiadíssimo!".

A reação duma aristocracia letrada contra o rápido abastardamento da língua, até então abandonada às tendências simplificadoras e corruptoras do povo, deu origem entre nós ao gosto dos estudos linguísticos. Em pouco nos tornamos um país de gramáticos e de aplicados cultores do vernáculo. Que a reação era explicável, prova-o de sobejo o fato de que ela não se deu unicamente no Brasil, mas também nos países de fala espanhola. Um ilustre escritor argentino, Leopoldo Lugones, afirmou com orgulho: "*Nosso castelhano é tão bom como o de Espanha, e os melhores gramáticos modernos da língua têm sido americanos*". Afirmação verdadeira, ao menos quanto à excelência e abundância dos tais gramáticos, alguns deles notabilíssimos. Hispano-americanos foram, com efeito, Rufino José

Cuervo, André Bello, Rafael M. Baralt, Baldomero Rivodó, Uricoechea, Miguel A. Caro... Tão só por ficarmos nas alturas de Venezuela e Colômbia.

Em que pese aos nacionalistas lusófobos e aos eternos antigramáticos, e inegável que no Brasil se escreve cada vez melhor o idioma luso-brasileiro. Não é raro que algum brasileiro letrado sustente, com toda a boa fé, que nada temos já com Portugal nem com a língua dos Portugueses. Entretanto, quando esse brasileiro escreve, procura fazê-lo em idioma vernáculo, ao jeito dos clássicos portugueses, e se acaso alguém o adverte de que cometeu um erro de sintaxe, zanga-se com a advertência, considerando-a injuriosa.

O romancista de *Iracema*, prógono da "escola da brasilidade", será o admirável escritor que se quiser; mas não é, propriamente, um modelo da arte de bem-escrever. Os modelos são outros. Depois da prosa um tanto descuidada dos românticos, como Alencar, Manuel Antônio de Almeida, Macedo ou Bernardo Guimarães, tivemos a prosa castiça de Machado de Assis, Júlio Ribeiro, Laet, Rui Barbosa, que seguiam a tradição de Gonçalves Dias, Odorico Mendes, João Francisco Lisboa. Prosa castiça, dizemos, mas nem por isso menos nossa, sobretudo no que respeita ao primoroso estilista do *Memorial de Aire*s. Machado de Assis, o maior dos nossos prosadores modernos, é um modelo de linguagem pulcra e estreme. O douto filólogo Professor Sousa da Silveira acha que seria possível redigir uma sintaxe portuguesa, apoiada só na obra do criador de *Quincas Borba*. Pois bem: embora se nutra da boa seiva quinhentista, a linguagem de Machado é talvez aquela em que melhor distinguimos o indisfarçável sainete brasileiro que se encontra mesmo nos escritores que mais forcejam por imitar os clássicos lusitanos. O perfume de brasilianismo que se desprende da sua obra não é um produto artificial de botica literária nativista, mas uma emanação orgânica, natural, elaborada internamente.

Ninguém aconselha os artifícios do classicismo, nem se trata de escrever à maneira de Lisboa ou Coimbra, o que aliás seria impossível, pois um Brasileiro, por melhor que escreva o português, escreve-o com uma coloração brasileira inconfundível. O exemplo de

Machado de Assis demonstra que se pode manejar a língua com a maior correção e pulcritude, sem afetação de portuguesismo e sem ranço clássico.

Fosse límpida e castiça a dicção de Alencar, e não seria menos brasileira a sua obra. Porque o brasilianismo do nosso grande romancista não está propriamente na forma externa da sua linguagem, nem nos seus tipos, nem nas suas descrições: está na essência do seu li-rismo; está no espírito e não na forma: é subjetivo e não objetivo. Os índios e mais figuras dos seus livros, e as suas mesmas paisagens, são belas criações da fantasia. Suas histórias são irreais como os contos de fadas. Machado de Assis, pelo contrário, infenso aos fáceis arroubos da imaginação, inclinou-se para a observação do real, escrutou almas, fixou tipos da sociedade média brasileira. Rubião, Quincas Borba, José Dias, Capitu, o Palha, Maria Benedita, e mais personagens do seu registro civil, sãovivos, humanos, verdadeiros e, o que mais é, brasileiros até o sabugo das unhas. A alma brasileira só poderia analisá-la com sagacidade um escritor que como Ma-chado possuísse qualidades de psicólogo, raras entre nós. Em vão se buscam traços de nossa psique nos caboclos, sertanejos, matutos, jagunços, gaúchos e outras larvas românticas engendradas no cérebro dos nossos escritores regionalistas de pequena envergadura. Pode encontrar-se aí certo pitoresco que se cora de genuinamente brasileiro; mas, na realidade, toda essa sub-literatura opilada e rural é o contrário da saúde e da força intelectuais, *Os Sertões* de Euclides da Cunha não são um grande livro porque nos pinte jagunços mais ou menos mitológicos movendo-se num poetizado ambiente sertanejo. Sua grandeza está na possança das descrições e no dramático da narrativa. É um legítima obra-prima, não pelo regionalismo do tema, mas sim pela beleza artística da elocução, elemento este universal e o único que importa na obra literária.

Não há razão alguma que justifique uma ruptura com o passado. Que vantagem pode haver em que o idioma culto dos Brasileiros se reja por normas distintas das do idioma falado pelos Portugueses? Ninguém aconselha a escrever ao modo dos clássicos. Ninguém pede que no Brasil se fale ou escreva exatamente como em Portugal. Está bem que se empreguem termos e expressões peculiares do nosso povo. Mas daí a usar como boa prata da casa todas as locuções viciosas, plebeísmos, africanismos e solecismos gramaticais, que abastardam a língua, é ir demasiado longe.

Deixá-los renegar do esplêndido patrimônio avito. Deixá-los malgastar o opulento legado paterno. Destrui-lo é que não é possível. Como disse muito bem Afrânio Peixoto, "*assim como a gente não escolhe os seus parentes e, mercê de Deus, os nossos foram ilustres, também não escolhe a linguagem que balbucia no berço, e, bem-aventurados os Brasileiros, porque essa é a ilustre língua portuguesa*".

Os Brasileiros mais brasileiristas podem escrever corretamente o idioma de Camões, sem receio de submissão a Portugal. Mirem-se no espelho do admirável romancista do D. Casmurro. Atentem no que diz o ilustre linguista patrício, Professor Sousa da Silveira: "*Há em nossas letras um vulto eminentíssimo, no qual se poderá bem considerar personificada a nossa língua nacional, qual a devemos definir: a língua portuguesa, com pronúncia nossa, e algumas insignificantes divergências sintáticas em relação ao idioma atual de além-mar, e possuindo o vocabulário enriquecido por grosso tributo indígena e africano e pelas criações e adoções realizadas em nosso meio. Esse escritor é Machado de Assis*".

Por mais diferenciada que a queiramos, a língua nacional é essencialmente a portuguesa e não o nheengatu ou o quimbundo. Quando muito, e no pior dos casos, será um dialeto afro-lusitano. Aqueles que escrevem portuguesmente mal, supondo que escrevem brasileiramente bem, são vítimas duma ilusão, pois escrevem unicamente preto.

CRIOUSLIMO LITERÁRIO

Os que pelejam pela criação de uma literatura própria no Brasil acham que, antes de nada, é preciso evitar e combater toda espécie de influências estranhas e despersonalizantes. E sempre o mesmo temor ingênuo às influências, como se fosse impossível a uma literatura em formação como é a nossa isolar-se do mundo e opor-se ao regime de trocas recíprocas, em vigor na república das letras. Se as grandes e ricas literaturas não fazem senão tomar emprestado uma das outras, por que é que as pequenas e mais pobres não o podem fazer? Os povos caminham para uma interdependência material e espiritual cada vez mais estreita. O problema da cultura, como o problema político ou econômico, é hoje em dia um problema mundial, quaisquer que sejam as peculiaridades com que se apresentem em cada povo. Ao invés do antigo isolamento das nações que se bastavam a si mesmas, ampliam-se cada vez mais o tráfico universal e a comunidade de interesses das nações. E o que é certo para as produções materiais, também o é para as produções da inteligência. Os produtos intelectuais duma nação, quando realmente valiosos, logo se tornam a propriedade comum de todas as outras.

É de todo ponto secundária a preocupação de originalidade ou diversidade, que dia a dia se vai tornando mais rara e difícil com o cosmopolitismo crescente das relações humanas. A divisa de Stendhal: *lo sono di Cosmopoli*[1], pode ser a do homem moderno. O espírito industrial de nossa época é o contrário do espírito rural que mantinha o homem adstrito à gleba, apegado organicamente ao torrão natal. É certo que há tendências nos seres vivos para se acomodarem a determinadas paisagens, isto é, para adquirirem formas de caráter

1. "Cette phrase, qu'il a cuieillie dans un opéra, devient sa devise, et il la proclame souvent. 'Moi, je suis de Cosmopolis...' (Paul Hazard, *La vie de Stendhal*, Paris, 1928, p. 109).

local. Mas não é menos certo que, depois de ser progressivamente rural, regional e nacional, o âmbito da paisagem humana se dilata em mundial.

Longe, portanto, de se encantoar no caracteristicamente nacional, a arte de nossos dias procura orientar-se no sentido do mundialismo. Busca-se acima de tudo a grandeza e a força, e, hoje mais do que nunca, o que é grande e forte deixa de ser exclusivamente nacional para se volver universal.

Na nossa época, o nacionalismo integral é ideia que briga com a realidade, notadamente em países do tipo do Brasil, em que tudo é trazido de fora: o homem, a língua, a religião, os costumes, as instituições, as ideias, as artes, as indústrias. Autóctone, só o Selvícola primevo. E acontece que este, sendo o mais genuíno dos elementos brasílicos, representa hoje o que temos de mais exótico, podendo dizer-se que o Carajá ou o Caiapó são quase tão estranhos à civilização brasileira quanto o Esquimau ou o Afegane.

O mesmo indianismo, ou a admiração literária pelo caboclo das nossas brenhas, é de importação estrangeira: procede do mito do bom selvagem que Rousseau divulgou e os românticos tomaram a sério. No indianismo brasileiro ocorreram todavia duas determinantes psicológicas de caráter particular. Uma foi a de quererem alguns, feita a Independência, romper todos os laçosa fetivos que nos prendiam à antiga Metrópole. Para isso faziam *tábula rasa* de tudo que nos lembrava a passada condição de colonos e, em lugar dessa insuportável tradição de vassalagem, fantasiava outra, muito ao gosto romântico da época, que nos apresentava como descendentes dos livres filhos das selvas americanas. A segunda determinante funda-se num estado de espírito especial, feito de ressentimento e amargura. Dado o menosprezo histórico em que é tido Portugal, país pobre e pequeno, em consequência da pecha de inferior que se lança à raça negra, muitos Brasileiros sentiam-se humilhados de terem por antepassados a Portugueses e Africanos. Reagindo contra esse sentimento de inferioridade, o Brasileiro socorreu-se de um mecanismo mental muito conhecido: escamoteou a realidade acabrunhante, substituindo-a por uma ficção compensadora. Assim foi que renegou dos pais, supostos inferiores, para se inculcar como descendente das nobres raças ameríndias a que pertenciam o *Huron*de Voltaire, o *Chactas* de Chateaubriand, a *Iracema* de Alencar e outras criaturas igualmente perfeitas, engendradas pela imaginação literária.

Alcançamos há cem anos a independência política, mas economicamente ainda continuamos sob a tutela das nações poderosas da terra; e sabe-se que os fatos econômicos primam sobre os fatos políticos ou mesmo sobre os culturais. Quanto à autonomia espiritual, esta se apresenta ainda em termos mais árduos para os povos sem tradição. O espírito colonial mostra-se neste pontos ingularmente tenaz e por assim dizer invencível, pois que tem raízes profundas no idioma nacional, e contar com um idioma é contar com todo o passado desse idioma. Aqui, o linguístico age sobre o sociológico. Com o idioma paterno sobrevivem germens de colonização espiritual que não se extinguem facilmente. Para extingui-los seria preciso destruir totalmente o próprio idioma criando-se em seu lugar uma linguagem nova, sem história.

A cultura romana impôs-se à Ibéria, à Gália e a outros povos, não pela importância das correntes emigratórias e colonizadoras de Roma ou pela difusão do sangue dos seus legionários nas populações conquistadas, mas através do poderoso instrumento de civilização que era a língua do Lácio, com todas as ideias que essa língua admirável atesoura. Também a superioridade da língua castelhana, a serviço de uns poucos aventureiros audazes, realizou o estupendo milagre de assimilar à cultura hispânica milhões de índios americanos com o que restava das culturas astecas, maias, incásicas e chibchas.

Na América sempre houve nativistas que desejaram emancipar-se de toda influência europeia. É uma velha aspiração que se renova com certa frequência nalguns espíritos inquietos ou descontentes, sobretudo moços, e que data dos primórdios do povoamento, sabido como é que os primeiros nativistas foram justamente os nossos primeiros colonos. Entre os sul-americanos, o crioulismo literário e artístico, que nestes últimos anos se tornou um movimento de incontestável importância, almeja encontrar por si mesmo a sua lídima expressão espiritual. Para tanto, busca livrar-se de todo e qualquer resquício de europomorfismo, ainda que esta renúncia importe num grande empobrecimento do espírito. Como se a América, enorme e rarefeita, mal povoada, ainda infantil e semicolonial, cadinho de raças, babel de línguas, macedônia de civilização, pudesse fechar-se de algum modo às influências exteriores! Ideia tanto mais absurda, quando o contrário é que é o desejável. A América necessita do concurso do mundo inteiro, e, na verdade, o mundo inteiro acha-se empenhado na obra grandiosa de sua construção. Aí está porque o nosso nativismo, embora não seja uma ideia falsa, é entretanto uma ideia pequena.

A América, exceção feita dos Estados Unidos, ainda não está amadurecida para a personalidade. Nada é hoje, em comparação com o muito que será para o futuro. A autonomia literária virá possivelmente a seu tempo, como tudo mais, fatalmente, com as grandes e admiráveis coisas que decerto nos estão destinadas desde a nebulosa primordial. Por enquanto parece ociosa e frívola qualquer veleidade neste sentido. Como poderíamos ter uma literatura e uma arte próprias - luxos da cultura - quando tudo ainda está por fazer? Tendo apenas iniciada a sua fase construtiva, os povos americanos precisam, mais que tudo, de sólidas riquezas. Estas, ao depois, fornecerão o *humus* de que se alimentam as artes e as letras.

Pode ser que o crioulismo literário consiga algum dia a realização dos seus desígnios. Pode muito bem ser. Mas por agora não se vê possibilidade de se cultivarem letras e artes sem os conselhos e as lições da madre Europa. A razão é simples: trata-se de produtos originários do solo europeu e que só os Europeus sabem cultivar como convém. Não é só a literatura, nem unicamente as artes, nem mesmo a civilização: a própria Humanidade é um produto do Velho Mundo, como nos assegura o paleontologista Boule.

A "ESCOLA DA BRASILIDADE"

Pugnando pela nossa independência literária, os românticos da época de José de Alencar gloriavam-se de escrever em *brasileiro* e opunham ao cosmopolitismo da civilização do litoral a pura brasilianidade dos sertões incultos. Os modernistas da hora que acaba de passar, novi-românticos da mesma pinta nacionalista, inscreviam igualmente nos seus manifestos os mais radicais princípios autonomistas. Uns queriam a volta ao Bugre lendário; outros buscavam inspiração no elemento negro da nossa formação racial; outros, ainda, aspiravam mergulhar nas águas lustrais da ignorância primordial. Havia-os que eram dinamistas, futuristas, supra-realistas, e outros que se intitulavam verde-amarelos, pau-brasílicos, antropofágicos. Num ponto estavam todos de acordo: na hostilidade declarada à tradição literária da nossa raça. O grito de guerra era o mesmo dos primeiros românticos: "Quem nos libertará dos clássicos portugueses?" Era uma maneira de arremedar o velho mote de Clément e Berchoux: *"Qui nous délivrera des Grecs et des Romains?"*

Os fantasmas dos clássicos parece que tiravam o sono a esses espíritos assombradiços. Por que tamanho pavor? Camões, Bernardes ou Vieira não fazem mal a ninguém. Ao contrário, só podem fazer bem. São fantasmas amáveis, aos quais devemos querer como a mestres e amigos. Vem deles o melhor e mais duradouro influxo do nosso pensamento literário. Deles procede igualmente, por mais que a queiramos corrompida, a língua que uniformemente falamos do norte ao sul do país.

Joaquim Nabuco gabou-se, certa ocasião, de que "pensava em francês". Foram palavras de circunstância. Só a língua natal exprime o nosso ser como convém. No estudo que escreveu acerca de *Camões e Os Lusíadas*, asseverou o nosso grande orador que a religião camoniana era a base sólida de toda a nossa literatura e que uma geração educada em Camões só podia ser uma geração máscula, heroica; por isso descobria para Camões um único rival como formador de homens: Dante.

Há, entretanto, um desejo sincero de se criar alguma coisa nova, bem nossa, bem brasileira, que "fixe todo o nosso tumulto de povo em gestação", como já estava na ideia de José de Alencar. De tal paligenesia ainda não se vê sinal e é infinitamente provável que jamais se veja nestes tempos de largo internacionalismo.

Os corifeus da "escola da brasilidade" querem uma literatura nossa, com caráter especificamente brasileiro, uma literatura enraizada na estrutura nacional e expurgada de todo elemento estranho. A intenção é simples efeito de confusão mental e de escasso conhecimento dos problemas literários. O conceito de poesia ou de literatura como expressão do "espírito do povo" já não tem sentido hoje em dia. No entender de Benedetto Croce foi superado por outro que considera a história da literatura, não como história dos povos e de seus hábitos e de sua obra moral e política, porém das personalidades literárias, individuais e universais, vez a vez. Entre essas personalidades ou em algumas delas podem notar-se na sua diversidade certos traços comuns e vistas através de várias épocas, não é difícil que mostrem alguma constância de interesses, conceitos e formas. Mas isso é pouco para se estabelecer uma lei de correspondência entre o caráter de um povo e a sua literatura.

De todo esse afã renovador, um só resultado é visível: o mau trato infligido à "língua nossa gentil"... Ainda há pouco os moços da "escola da brasilidade" timbravam em atacar o idioma nas raízes mais fundas da sintaxe, como que empenhados em descê-lo à categoria de dialeto negro. Antes erravam-se os pronomes porque não se conheciam as regras de os colocar bem. Temos agora os que fazem alarde de os colocar mal, assim como de cometer toda sorte de solecismos, por afetação de mal-entendido brasilianismo. Não vai nisso, valha a verdade, nenhum entranhável sentimento nacional: é simples preciosismo a contrapelo, puro amaneiramento de *snobs* em maré de crioulismo. Também existem os que, afrancesados até à medula, maltratam o idioma pátrio por ignorarem toda tradição luso-brasileira, e estes são a maioria.

Perigosa maioria.

Afinal, bem-examinadas as coisas, parece que todo o nosso protecionismo literário se reduz a guerrear a tradição portuguesa em benefício do afrancesamento progressivo da nossa gente letrada. O que se vê principalmente no fundo dessa campanha de brasilidade é a velha jeriza crioula contra tudo o que é português, e talvez também uns restos daquela inimizade tupinambá que remonta aos primeiros tempos da conquista. Sabe-se como, durante anos, esteve indeciso se o Brasil ficaria pertencendo aos Portugueses ou aos Franceses, que o disputavam. A indecisão continua no terreno resvaladio da literatura, e continuará enquanto os Tupinambás se aliarem aos Maíres e os Tupiniquins estiverem a favor dos Perós.

NOSSO MERIDIANO INTELECTUAL

Os inimigos da tradição literária luso-brasileira costumam dizer que o nosso meridiano intelectual não passa mais por Lisboa: passa por Paris.

É a pura verdade, mas ainda nisto acompanhamos a Portugal que antes de nós já andava imantado ao pensamento francês. A galomania portuguesa não é nova e dela já se lamentava o donoso clássico seiscentista Dom Francisco Manuel de Melo. Como os Portugueses, somos no Brasil satélites da França e continuamos deste modo sem autonomia intelectual.

O crítico Sílvio Romero e outros escritores da *escola germanista* do Recife tentaram reagir em seu tempo contra a influência de Portugal e da França, simultaneamente. *"O Brasil não é, não pode mais ser uma cópia de um país medíocre e desorientado, como Portugal, Há muito que o Reino não nos pode mais ser um modelo; contente-se com copiar a França e deixe-nos ir adiante"*. Eis o que escrevia Sílvio Romero, na sua *História da Literatura Brasileira*. Seu desejo era que afastássemos o nosso pensamento da lídima tradição luso-brasileira para alimentá-lo com as sobras duma cultura importante mas para nós completamente estranha e inapreensível, como é a germânica.

Sem embargo do combate que pregoava contra os modelos portugueses, foi Silvio Romero o principal adepto brasileiro da crítica positivista de Teófilo Braga, com quem todavia andou empenhado em fortíssima polêmica. Como o notou Fidelino de Figueiredo, o que havia de fundamental em Sílvio Romero, *"a concepção da história literária e do folclore como campo de investigações etnológicas, o próprio método, as ideias gerais, o espírito de sistema e certa intolerância dogmática"*, vinha do seu grande adversário Teófilo Braga.

No erudito sergipano, como em vários outros apologistas brasileiros da crítica realista alemã, então em voga, havia, é inegável, o mais sincero amor às ideias gerais, a par de rara aptidão para os altos jogos da inteligência; mas havia bem muita ostentação livresca e uma grande ingenuidade que os levava a confundir frequentemente a verdadeira cultura com aquela "mixórdia incoerente e palavrosa", a que se referiu duma feita o positivista Miguel Lemos. Longe de ter esclarecido o mecanismo mental do nosso povo em formação, como afirmam os seus admiradores, Sílvio Romero complicou-lhe inutilmente o estudo com um gongorismo cientificista de que ainda hoje faz gala muita ignorância enfeitada que por aí anda.

Por mais que possa doer a certos pedantes e *snobs*, a verdade é esta: as culturas sendo irredutíveis umas às outras, um brasileiro de boa cepa não pode compreender profundamente senão o espírito lusitano ou o que dele deriva e está fixado no nosso patrimônio mental. Só os que falam uma língua desde o berço e que a beberam, por assim dizer, com o leite materno, só esses podem entendê-la de um modo cabal. Ainda que conheça muito bem a língua francesa, um estrangeiro jamais será capaz de apreciar, por exemplo, os matizes mais sutis da beleza lírica que constituem, para os naturais da França, a essência de La Fontaine. E é sabido que os Ingleses não consideram a Edgar Poe como um grande poeta, no que estão em desacordo com a opinião corrente na França, sustentada por Baudelaire, Mallarmé e Valéry. E que estes não sendo ingleses, embora excelentes poetas e admiráveis críticos, não eram capazes, como o demonstrou Aldous Huxley, de perceber os traços de vulgaridade que prejudicam a obra de Poe. A substância no poeta do *Corvo* é refinada, concede o crítico inglês, mas a forma é vulgar. O estrangeiro vê a intenção sem que note distintamente as minúcias de execução.

Formado embora duma raça ainda embrionária, o povo brasileiro apresenta já uma fisionomia particular cujo principal elemento constitutivo é fornecido pelo substrato de filiação portuguesa. Este é que etnicamente unifica e define o Brasileiro. Sem dúvida podemos ter nosso rabicho por esta ou aquela cultura, alheia ao gênio de nossa raça. O que não podemos é penetrar-lhe a essência íntima, seja alemã ou mesmo francesa. Para tanto era preciso mudar a estrutura interna dos nossos cérebros.

Em resumo de contas, pouco importa que o nosso meridiano intelectual passe por Lisboa, Paris, Nova York ou Moscou. Seria até desejável que passasse por todas as capitais do mundo. Quanto mais numerosas e variadas forem as influências, tanto maior probabilidade haverá de aparecer algum gênio criador ou renovador, que é o que importa realmente. Não é o gênio uma encruzilhada?

GRANDILOQUÊNCIA, VANILOQUÊNCIA

Bento Pires, velha amizade nossa do *Clube dos Grafômanos*, jamais proferiu, em dias de sua vida, qualquer coisa que se pareça com um discurso. Fato raro numa terra de oradores. Os que conhecem Bento Pires não se admiram disso, porque o sabem absolutamente incapaz de pronunciar duas palavras em público. Não que lhe falte aptidão para dominar a usual estilística oratória. Nada disso. Poucos haverá, pelo contrário, dotados de palavra mais fácil e entretida.

Como se explica então tal singularidade? Pela timidez, certamente; pela timidez, que é como se definem numa palavra certos complexos de inferioridade individual. Diserto com os íntimos amigos, Bento Pires, logo se vê na presença de gente mais ou menos estranha, sente-se constrangido, enleado, não diz coisa com coisa, quando não perde inteiramente o uso da fala. Experimentem dar-lhe de repente a palavra, diante de meia dúzia de pessoas, para o menos solene dos espiches: é quase certo que tenha um vágado. A só ideia de que possam forçá-lo a falar publicamente, constitui para ele motivo de penosa emoção. Por isso, não toma parte em almoços ou jantares de homenagem a amigos, nem vai a casamentos, batizados ou enterros, nem frequenta, em suma, quaisquer reuniões onde haja ocasião de se dar ou tomar a palavra. Daí, talvez, a razão de ser tão reduzida a sua vida social. Por aí se explica, possivelmente, o seu desdém à oratória e aos oradores.

Bento Pires está convencido de que a nossa época é fraseoclasta, que eloquência está desacreditada e fora de moda e que a retórica (pelo menos a retorica em tom maior) foi proscrita do nosso tempo. A seu ver, a oratória, que teve o maior lustre no alto do púlpito cristão, com o verbo dos Crisóstomos e dos Atanásios, decaiu da sua primitiva dignidade e anda hoje abastardada na parolagem dos bacharéis, na verbosa charlatanice dos profissionais da política e na solércia dos publícolas cortejadores da multidão. Por essas e outras é que não ama os homens chocalheiros, eloquentes, os bocas-de-ouro. Como é bem de ver, nada provoca mais a sua desestima que a desatada facúndia de certos políticos, incansáveis no lugar-comum.

— Sim, declarou ele certa vez numa tertúlia de mesa de café, os que não se rendem à frívola sugestão dum discurso farfalhudo, os meditativos, os que pesam as palavras e examinam o que nelas se contém, esses bem sabem *homo loquens* fala só por falar, fala para agitar o vento, para encher com palavras campanudas a vacuidade da sua percepção. Essa espécie de humanidade palreira está bem representada naquele Numa Roumestand, que dizia: *"Quand je ne parle, je ne pense pas."*

A dar-lhe ouvidos, ninguém suporta hoje em dia os declamadores e as suas peroratas. Bento Pires, evidentemente, é dos que tomam ao pé da letra *boutade* de Verlaine: *"Prends l'éloquence et tords lui sons cou."* E entende que os que gostam de auditores complacentes deviam recompensá-los por lhes aturarem a garrulice, como fazem os indígenas de certa ilha do Arquipélago de Salomão. Os oradores tribais, na tal ilha, quando terminam seus longos discursos, pagam a cada um dos ouvintes certa quantia (em conchas, moeda usual) como prêmio à paciência e cortesia de que dão provas ficando ali especados a ouvi-los tanto tempo. Não é mesmo um costume que os menos asselvajados deveriam imitar?

Mas, como seja ele próprio eloquente e use com felicidade dos mais engenhosos artifícios da retórica, Bento Pires chega a convencer-nos nos por momentos de que realmente é preciso acabar com semelhante impostura.

Somos um povo de oradores, costuma dizer. A logorréia é um dos morbos específicos da nossa gente. Não há Brasileiro que não padeça de fluxão verbal mais ou menos abundante. Essa é a razão por que a garrulice anda ai confundida com o verdadeiro talento. Não é à-toa que o verde e o amarelo, cores do papagaio, são também as cores da nossa bandeira. E *Terra dos Papagatos* foi como se chamou primitivamente na Europa ao nosso país. Pode haver simbolismo mais expressivo?

Somos, na verdade, um povo de oradores. Nada nos seduz tanto como as caprichosas hipérboles, as parlengas sonoras e as engenhosas construções verbais. Em parte, deve-se isto à nossa língua, tão opulenta em efeitos estéticos naturais, língua a que só é comparável o castelhano, pela energia, qualidade pitoresca, sonoridade e riqueza de expressões. Não é talvez muito arriscado afirmar que, transportado para as selvas americanas, esse poderoso instrumento verbal, deu origem a uma eloquência nova, adornada, caudalosa, tropical. Vieira, que cresceu e formou o seu espírito no Brasil, tendo aqui vivido cinquenta anos, Vieira não tem rival na oratória portuguesa, sem embargo de ser ela tão rica de notabilíssimos oradores. Recorde-se o que notou Manuel de Sousa Pinto, professor da Cadeira de Estudos Brasileiros da Universidade de Lisboa: *"a eloquência torrencial, a magia grandíloqua, a formidável imponência, dos sermões de Vieira, onde a seiva verbal floresce em fecundidades equatoriais, não seria possível se ele se não tivesse criado e adestrado no Brasil"*, Caberia razão, portanto, ao Sr. Afrânio Peixoto em reivindicá-lo *"como omais brasileiro dos clássicos portugueses, o maior dos clássicos brasileiros, tanto é brasileiro o melhor de seu pensamento"*.

Não se pode falar de Vieira sem se aludir ao nome de Rui Barbosa, provavelmente o orador mais notável do seu tempo. Aqui, no portentoso gênio vocabular de Rui a faculdade mestra dos Brasileiros atinge o pináculo. Que a nossa inteligência discursiva possa elevar-se mais alto, parece impossível. Rui foi o tribuno perfeito, coisa rara mesmo numa terra de oradores. Foi ponderado e ardente, impetuoso e firme, e tão nítido e vernáculo na forma, quando ajustado na rica substância da elocução.

A oratória é um gênero literário especial, fruto de raro equilíbrio entre o coração e o cérebro. Seus principais elementos são a ordem, a clareza, a vida, o movimento. A ênfase e a declamação ficam para os maus oradores. Só as coisas humanas, expostas na sua verdade, isto é, na sua grandeza e na sua fecundidade, é que merecem ser ditas e ouvidas. A palavra escrita ilumina, o exemplo arrasta, mas só a palavra vívida e sugestiva é própria para empolgar e fecundar a vontade dos homens. Eis porque a oratória foi amada dos Romanos, povo essencialmente de ação.

Os que pensam como o Bento Pires podem achar que a oratória é a arte de não dizer nada em muitas palavras: grandiloquência, vaniloquência. Mas o fato é que a palavra governa o mundo. *Regina rerumoratio*. O que, em boa eclara linguagem, quer dizer: com lábia tudo se arranja.

ACERCA DA ORIGINALIDADE

Ser original e diferente é uma ilusão que se encontra com frequência nos que principiam; ilusão própria de moços bem dotados mas ignorantes do mecanismo da imaginação.

Com razão escreveu G.K. Chesterton que a mocidade pode ter todos os dons, porém é raro que tenha o da originalidade; sem dúvida (acrescentava), não faltam moços que se revelam ao primeiro golpe: mas, em geral, a mocidade é o período em que mais nos inclinamos a imitar os outros e mesmo a obedecer-lhes.

Os moços só excepcionalmente são originais. O caso do poeta Artur Rimbaud, escrevendo aos dezesseis anos *Bateau ivre*, foi, segundo disse Mallarmé, "uma aventura única na história da literatura"; e aventura tanto mais singular quanto, aos vinte anos, esse adolescente genial renuncia inteiramente à literatura. A obra social e patriótica de Castro Alves, realizada aos 24 anos em versos admiráveis, já nos parece milagre.

O fervor dos moços é uma virtude incomparável, mas de pouco valor se não se junta ao gosto, que não é fruto temporão. De que serve a sensibilidade em bruto antes de elaborada pela razão ou experiência? Pode haver criação repentina sem um trabalho de incubação mais ou menos inconsciente? Claro que não pode. Caso contrário seria admitir a geração espontânea, *a proles sine matre creata.*

A originalidade é o resultado duma experiência influindo na imaginação criadora, sendo que esta se nutre, no começo, de imitação. Por isso disse o citado Chesterton: *"Quanto mais nos aproximamos da tumba, mais descobrimos uma filosofia que pode parecer nova, um estilo que se pode dizer pessoal; envelhecemos como homem, remoçamos como escritor".*

Por acreditarem na genialidade que improvisa, quantos talentos não se perdem em tentativas burlescas e contraditórias? Mais duma vocação literária certa se anula por afã de novidade a todo custo. A falta de disciplina e de sólidas diretrizes que orientem, coordenem e aproveitem as tendências naturais condena aos vícios da improvisação, ao particular, ao extravagante, ao defeituoso.

Os moços de hoje têm receio de perder a própria personalidade, e por isso não querem saber de mestres nem de modelos. Os que temem as influências parecem ignorar que não é o antigo nem o moderno o que interessa no artista ou no homem de pensamento, mas sim o permanente, o profundo, o essencial nas ideias, nos seres e nas coisas. O que interessa acima de tudo não é o particular, o novo ou o raro; não há nada particular, nem novo, nem raro; o que unicamente podemos apreciar sem reservas é o geral, o humano, o efêmero individual que exprima uma realidade supra-individual e contenha elementos de eternidade. Quase diríamos: o trivial. Porque a verdadeira originalidade é velha como o homem, traz o cunho das suas origens; e justamente aquele que está carregado de humanidade, empapado do trivial humano, é também mais homem, mais rico de alma, mais pessoal e, portanto, o mais capaz duma obra forte, sincera e verdadeira. A ânsia de originalidade é um vezo relativamente moderno, acentuado nos começos do século XIX com o romantismo. A anonímia era típica nas criações literárias da Idade Média, e geral o costume de retocar e reconstruir essas criações. Os poetas e os fortes artistas de outrora cuidavam pouco de parecer originais, pois sabiam muito bem que os motivos de arte mais profundos estão escritos na natureza e não pertencem privilegiadamente a ninguém.

O problema da originalidade já tem cabelos brancos, e seria ocioso excogitar agora o papel do gênio na História, papel já satisfatoriamente determinado. Quem cuida ainda de saber se o individual é que prepondera sobre o coletivo, ou o coletivo sobre o individual? A imaginação criadora nas suas formas superiores é muito mais individual que coletiva, seguramente; porém há influências coletivas e sociais necessárias, mesmo sobre a originalidade artística. Haverá alguém que acredite que um espírito original possa criar as coisas tirando-as do nada, como um demiurgo? Foram acaso originais neste sentido os espíritos mais altos e inspirados que se conhecem, como Platão, Virgílio, Dante, Camões, Shakespeare, Cervantes, Corneille,

La Fontaine, Goethe, Alencar, Castro Alves? Longe disso. Esses e muitos mais foram encontrados em grande débito para com o patrimônio de outrem. O Conde de Keyserling observou que "em sessenta por cento, pelo menos da literatura culta da Alemanha existe escassamente uma ideia original em cada mil páginas". Na formação dum grande espírito entram os mais finos sucos da cultura duma época, e cada época representa o somatório de muitos séculos de cultura e de experiência.

Todo livro é um conjunto de retalhos, todo grande homem é um conjunto de retalhos de seus antepassados, diz Emerson falando de Platão, gênio múltiplo e singularmente receptivo que absorveu o mais saudável do espírito de seu tempo. E acrescenta que um grande homem é uma grande afinidade que consome como alimento todos os conhecimentos, artes e ciências. Este inventor absorvente que foi Platão (é ainda Emerson que o diz) pôs a contribuição todas as nações: Filolau, Timeo, Heráclito, Sofron, Parmênides, etc.; depois a seu Mestre Sócrates, e sentindo-se todavia capaz de mais amplas sínteses, viajou pela Itália para adquirir o que Pitágoras lhe tinha reservado.

Aos que exageram o papel da originalidade julgando-a caída do céu como um raio da graça divina, opoem-se os que negam toda criação pessoal e em consequência adotam a teoria do plagio perpétuo, grata aos medíocres e aos amigos do bem alheio. A dar-se crédito a certa crítica esmiuçadora de niquices Virgílio tomou emprestado de Homero, Corneille do teatro espanhol e Shakespeare de Plutarco, de Hollingshead e dos contistas italianos; a *Divina Comédia* teria sido sugerida a Alighieri pelos místicos muçulmanos, desde Mafoma até Abenarabi de Múrcia; a dúvida cartesiana, ou a posição filosófica que responde a esta dúvida, seria anterior a Descartes, achando-se em Campanella, a quem neste caso terá cabido fixar as ideias capitais da filosofia moderna; Racine parafraseou os trágicos gregos, La Fontaine já estava inteiro no *Pantchatantra*, e o *Dom Quixote* de Cervantes, num italiano mal conhecido; Molière teria pilhado de todo mundo e em especial dos Espanhóis, a ponto de um maldizente afirmar em verso que a sua musa *"en campagne"* furtava em mil autores *"les sottises d''Espagne"*. Voltaire, afirma-se, não fez mais que repetir Bayle, Pope, Swift e Bolingbroke; o *Fausto* de Goethe encontrava-se já em Marlowe, Soane, Lenau...; Leopardi será o grande poeta que quisermos, porém a matéria dos seus *Pensieri* foi-lhe fornecida pelos filósofos sensualistas do século XVIII; Gregório de Matos forrageou *larga manu* em Quevedo, neste grande Quevedo em quem já se achava o *humour negro*, a facécia tétrica e feroz, que um século depois cristalizaria no peçonhento Swift, o mais cáustico dos impossíveis satíricos irlandeses; José de Alencar copiava e adulterava Chateaubriand, Gustavo Aimard, Fenimore Cooper; o "condoreirismo" de Castro Alves era uma réplica brasileira da ênfase hugoana; Euclides da Cunha não teria escrito *Os Sertões* se não houvesse lido o *Facundo* de Sarmiento. Por que havemos de ler Emerson e Renan, pensam os tais críticos pechosos, se as melhores ideias desses escritores são achadiças em Carlyle? Taine reproduziu Spinoza, Hegel e Goethe; o principal de Darwin está em Lucrécio; todo o evolucionismo de Spencer foi inspirado em Hesíodo, Anaximandro, Empédocles, Demócrito, Anaxágoras, passando por Hobbes, Locke e d'Holbach. Que novidade pode oferecer Nietzsche, sabendo-se como se sabe que a sua obra não é mais que a repetição, a variação e a desnatação dos fenomenalistas, estóicos, céticos e sofistas de todos os tempos? Freud não inventou a psicanálise, nascida na França segundo opiniões francesas, sendo que o pansexualismo sempre andou na consciência e na linguagem do povo.

Goethe, no fim da vida confessava serenamente que no seu *Fausto* só as ideias lhe pertenciam de pleno direito: todas as representações dramáticas não passavam de adaptações de outros autores, aos quais era muito agradecido. Chegava mesmo a entrar em pormenores, com os seus íntimos: — "No *Fausto* dizia, devo a intriga a Calderón, a visão a Marlowe, a cena do leito à *Cymbeline* a serenata ao *Hamlet* e o prólogo ao *Livro de Job*". Só um grande espírito como Goethe, e na idade em que o homem se desprende das ilusões e vaidades deste mundo, reconheceria honradamente dívidas desta natureza.

— Que é então, cabe perguntar, o que pertence de direito a cada um?

Nada senão isto, e costuma ser muito, que pode reduzir-se à seguinte lei:Ninguém tem como seu a não ser aquilo que disse como ninguém.

E não é original quem quer. O que busca a originalidade a todo transe, mais depressa parecerá extravagante que original. Será o mesmo que sair com o paletó pelo avesso ou com o chapéu com a copa enterrada na cabeça e as abas para o alto. Singularidades fáceis.

Quem é verdadeiramente original — damos a palavra a Pirandello — não sabe o que é. Sua originalidade não consiste em ver o mundo e a vida com olhos novos; tal qual os vê, assim diz e escreve: diz e escreve palavras novas, palavras suas e não de outros. E não o faz de propósito. — *Senhores, juro-vos que o meu teatro não o fiz de propósito*, explicou o grande renovador da cena italiana ao público da América, quando a visitou.

ORIGINALIDADE E ARTE

O pensador italiano Adriano Tilgher, autor de *Filoso fiantichi, Voci del tempo, Filosofia dele morali, Relativisti contemporanei, Homo faber* e muitas outras obras, todas de penetrante análise de ideias éticas e estéticas, expôs no ensaio intitulado *L'arte come originalitá*, posterioremente desenvolvido na sua *Estética*, um dos mais discutidos temas por ele tratados. Um patrício e amigo de Tilgher, o escritor Paolo Vita-Finzi, fez do aludido tema um apanhado muito fiel para os leitores de *La Nación* de Buenos Aires, do qual, por nossa vez, daremos a seguir um resumo.

Todos estão de acordo — é a opinião de Adriano Tilgher — em entender a arte como atividade e criação, isto é, como produção duma síntese que antes não existia. Em tal caso, porém, devemos deduzir que *arte e originalidade* são termos equivalentes. O que, numa obra de arte, não é original, mas foi inspirado, conscientemente ou não, por outras obras preexistentes, corresponde a um momento que não é de atividade e de criação, porém de passividade e de recepção. Não se podem, portanto, classificar as obras de arte em originais e não-originais, mas – quando muito — em obras de grande e pequena originalidade. As primeiras dão vida a uma grande e vasta visão do mundo, as segundas aprofundam e elaboram qualquer detalhe dum sistema já existente.

É impossível – sempre segundo Tilgher — julgar uma obra de arte sem relacioná-la com as precedentes; só assim se pode ver o que nela existe de original, isto é, de arte. Doutro modo, como distinguir Petrarca dos petrarquistas? Uma estátua que até ontem era considerada um prodígio de beleza, após novos achados arqueológicos, que descubram uma série inteira de estátuas anteriores, sepultadas e olvidadas, pode descer ao nível duma cópia destituída de interesse. O mesmo quadro que fora atribuído a Rembrandt e tido como obra-prima, perde todo o valor artístico ao revelar-se que se trata duma hábil falsificação moderna.

Da equivalência entre arte e originalidade o nosso autor deduz a identidade da crítica artística com a história da arte. Como sempre, a História se renova, e continuamente se transforma a crítica. O juízo da posteridade sobre a *Ilíada*, após os descobrimentos arqueológicos e filológicos do século XIX, não é hoje o mesmo que na época de Luís XIV.

Está claro que há graus infinitos de atividade artística. Mas o artista, segundo Tilgher, realiza o máximo da originalidade, quando não se baseia em sínteses já existentes, mas organiza em unidade um caos informe e engendra, na esfera da arte, um mundo novo: o que acontece, quando ele sente e exprime a vida de seu tempo. A vida é, com efeito, um *quid* informe que deseja a forma, sem que jamais se cristalize: preso apenas num molde, rompe-o para tornar-se fluido, buscando outro molde, infinito. Somente quando coincide no possível com o presente e experimenta até o mesmo desejo de libertação do velho e criação do novo, pode o artista aumentar a sua originalidade, descer mais às profundezas e voar mais longe. Poder-se-ia dizer que, assim como para Croce toda a História é História Contemporânea, para o nosso crítico toda a arte é contemporânea.

A quem — pergunta Tilgher — não terá ocorrido alguma vez não lembrar um nome, uma palavra, e dar tratos à bola a fim de pescá-los na memória? Em nosso espírito existe, nesse caso, um vazio, mas não um vazio inerte e indiferente a qualquer conteúdo, porém animado por algo assim como um *horror vacui*, que o leva à procura dum conteúdo determinado: ignorância, sem dúvida, que é ao mesmo tempo aspiração ao conhecimento. Nesse estado de tormento interior, se alguém nos sugere uma palavra que não seja a procurada, logo a repelimos, porque sentimos quais os limites do objeto de nossa procura, ainda que não saibamos indicá-los com precisão. Desse modo o nosso vazio se enche, em certo sentido. E, efetivamente, como um relâmpago, a expressão procurada brota das profundezas do nosso espírito...

Algo semelhante ocorre com o artista: no momento preciso, sua intuição lhe revela o novo sentido, o gosto, o novo sabor da vida e do mundo. Quanto maior é a obra de arte, tanto mais será um reflexo de sua época. À distância de séculos, uma obra-prima é bastante para caracterizar uma idade...

A teoria de Tilgher é, por certo, demasiado absoluta. Que a originalidade seja um elemento de criação artística, ninguém hoje o contesta; ao passo que, para a estética dos antigos, a excelência do artista consistia apenas em refazer melhor o que outros haviam feito (dez ou doze lendas mitológicas e poucos modelos clássicos alimentaram, assim durante séculos, a produção do teatro e das artes plásticas.) Mas arte é também unidade, harmonia, medida técnica (Valéry), freio: nada disso se encontra na definição de Tilgher. Nem é tão certo, como assevera este, que o artista, para ser original, tenha de ser à força "uma voz do seu tempo": a época de Leopardi, poeta do pessimismo e da dor, era entusiasta de "*le magnifiche sorti e progressive*" ... Por outro lado, mesmo admitindo-se que o artista deva exprimir os desejos do período histórico em que vive, não pode ser este apenas o metro para medir sua obra: doutro modo se cairia no erro (comum aos críticos da escola sociológica de Brades) de elogiar artistas medíocres, porque, "mais representativos".

AS LETRAS E A PROFISSÃO

No Brasil não há propriamente a carreira das letras. Há literatos, isto sim: há-os até em demasia; sempre os houve, e alguns de grande valor. Mas ainda está para nascer o poeta ou mesmo o romancista que possa gabar-se de viver exclusivamente da sua pena. Escrever, na nossa terra (e não só na nossa terra), é atividade secundária, à margem das ocupações sérias da vida.

Em povos novos como o nosso, em que tudo está ainda por fazer, os homens são absorvidos pelas tarefas práticas e construtivas. Primeiro é preciso edificar materialmente a pátria. Depois virão os lazeres para a formação do patrimônio artístico e espiritual. Antes disso, como ninguém pode fiar completamente das letras o seu futuro, os homens de inteligência lúcida aplicam às profissões liberais ou à política, à indústria ou ao comércio, a atividade que na Europa dedicariam às coisas do espírito.

Mesmo na Europa, onde a função literária é sempre recompensadora e em alguns casos grandemente rendosa, não são muito numerosos os escritores que vivem unicamente dos seus direitos autorais. Em França, segundo disse Jean Prévost, postos de parte certos autores privilegiados, ou alguns outros, mais folhetinistas que escritores, os ganhos dum homem de letras não são essencialmente constituídos do produto de seus afãs literários. Uns vivem principalmente de artigos; outros, sobretudo, de conferências; outros vivem de funções ou de vantagens que lhes advêm de sua reputação. De modo que o livro (assegura-nos o autor do *Traité du debutant en 1929*) é uma fonte de lucros somente acessória e que serve de publicidade e de referência para proventos mais importantes.

Em França fala-se na *profession seconde* dos homens de letras que buscam fora da atividade literária os meios de ganhar a vida. Este segundo ofício dos profissionais da literatura é coisa corrente na França de hoje. Henri Fauconnier, laureado de 1930 do prêmio Goncourt, foi caucheiro na Malásia e vive agora negociando em Túnis. André Malraux, que o livro *Les Conquerants* tomou rapidamente conhecido, estabeleceu-se como antiquário e está enriquecendo com o *bric-à-brac* que granjeou nas suas peregrinações pela Ásia. Jean Giraudoux e Paul Morand trabalham no Quai d'Orsay, sem prejuízo de suas fainas de romancistas. Marcel Pagnol, o feliz comediógrafo de *Topaze*, dedica-se à vida comercial. A. de Saint Exupéry, aviador, conquista com o seu *Vol de nuit* o cobiçado prêmio Fémina. Philippe Hériat, ator cômico, obtém as láureas do Théophraste Rénaudot para o seu romance *L'Innocent*. Romancista de sucesso fez-se igualmente a atriz Simone. Não contente de ser grande pintor, Jacques Emile Blanche também escreve, e bem. Escreve o pintor Chirico. Escreve um famoso *tailleur pour dames*, Poiret. Escreve o perfumista Coty. Isto sem sairmos da França nossa metrópole intelectual. *

Enfim, exemplos não faltam.

Em França, assim como na Alemanha, na Inglaterra, ou na Itália, ainda se pode falar duma profissão segunda, suplementar à profissão das letras nossa terra, não é possível. Em nossa terra, a literatura jamais constituiu uma profissão. Todos os nossos homens de letras poderiam ser considerados amadores, se por amador se deve entender, na ordem das letras como na das artes aquele que não precisa de escrever, de pintar, de esculpir ou de compor, para ganhar a vida.

Não há no Brasil, exceção feita dos profissionais da imprensa, nenhum escritor que viva unicamente dos seus rendimentos de autor, pelo geral nulos. Dos quarenta "imortais" da nossa Academia, não existe um só que viva das letras. O exemplo de Coelho Neto é o mais ilustrativo para o caso. Não houve talvez, no Brasil, mais ativo e robusto trabalhador da pena. Sua opulenta produção — umas setenta mil páginas - é um categórico desmentido à lenda de indolência do brasileiro. Em volume, só se encontra outra igual, na língua portuguesa, em Camilo Castelo Branco. Ora bem, quanto lhe renderam,

* Estes apontamentos são de 1932. — *NOTA DESTA EDIÇÃO.*

em quarenta e cinco anos de trabalho, de 1890 a 1934, as 244 edições de suas obras, incluindo-se também o que ele ganhou pela colaboração no *Dicionário Lelo Universal*? Seiscentos contos, mais ou menos, isto é uma média mensal de mil e cem cruzeiros, pouco mais do que o necessário para o pagamento do aluguel da casa em que morava. Para viver, fora o que lhe rendiam as crônicas que escreveu aos milhares para a imprensa do país, tinha de entregar-se a ocupações mais rendosas e certas: redator de debates no Senado, professor da Escola Nacional de Belas-Artes, Ginásio de Campinas, Colégio D. Pedro II, Escola Dramática Nacional...

Já Oliveira Lima o havia dito, em seu discurso de recepção na Academia Brasileira: *"No Brasil, os homens de letras, como os sábios, têm forçosamente de ser empregados de Secretarias, advogados no foro, agentes de companhias, industriais e corretores interacionais."*

O que há entre os nossos escritores são as "profissões aproximadas" a que se referiu João Ribeiro, nas suas saborosíssimas *Cartas devolvidas*. Profissão literária aproximada é o jornalismo, que consome num fogo de vistas os nossos melhores talentos. Profissão aproximada é o professorado, o didatismo que estiola numa vocação ocasional os espíritos mais bem-dotados, impossibilitando-os para a obra de arte. Na magistratura, na advocacia, na medicina, na engenharia, na política, encontra igualmente o homem de letras as muletas duma profissão aproximada. Longe de estimularem a vida das letras ou a criação artística, essas "aproximações literárias" só lhe causam prejuízo, descaminhando as verdadeiras vocações e pervertendo-as nos seus impulsos normais, se é que não os anulam inteiramente: *"A obra literária*, lê-se naquela obra de João Ribeiro, *reclama necessariamente um repouso longo, um estado de sonho e devaneio que espera morosamente a condensação em formas definitivas. Os trabalhos mecânicos, se não forem excessivos, prejudicam muito pouco essa atitude e antes a fortalecem pelo contraste, pois que o repouso não é mais que uma variedade da energia"*.

Longe das grandes civilizações, sem ambiente de cultura, parece milagre que o escritor nesta parte da América realize por vezes uma obra admirável. Verdade é que, como está na Escritura, o espírito sopra onde quer. Em todo o caso, sempre causará espanto que um Rufino José Cuervo, por exemplo, sendo fabricante de cerveja em Bogotá, pudesse escrever uma obra filológica que não teve igual, em seu tempo, nem em Espanha nem em nenhum outro povo de língua espanhola. E comerciantes e industriais foram muitos outros escritores sul-americanos. Quanto por aqui se cria nas letras, é exclusivamente por vocação, por puro desinteresse, que é aliás como deve trabalhar todo espírito verdadeiramente criador.

Machado de Assis consumiu a existência inteira como funcionário público, metido nesse beco sem saída que é uma repartição burocrática. Em 40 anos de funcionário, jamais passou dum *rond-de-cuir* mais ou menos qualificado. Foi obscura a sua biografia? Que importa, se era esse o preço da obra admirável que nos legou! Fosse mais brilhante a vida pública do admirável criador de *D. Casmurro*, tivesse ele tido ambições sociais ou políticas, e é quase certo que não seria o grande escritor que todos admiramos. Intelectual puro, Machado de Assis não traiu a sua vocação. Soube evitar todo gênero de vida dispersivo e dissipador. Reservou-se inteiramente, com sábia economia, para as atividades da inteligência e da sensibilidade. Subestimou todas as seduções materiais deste mundo, em troca da única coisa que vale a pena de ser desejada por um escritor: a ventura de contemplar, meditar, devanear.

O mal de não ter dinheiro enche de amargura a existência dos homens de letras. Por isso, não poucos sucumbem à fascinação de o possuírem. Nos países onde a literatura é remuneradora, o escritor pode alcançar a riqueza entregando-se à produção intensiva, tornando-se máquina de fazer livros. É uma quebra de fé, em que se corrompe o talento e se perde a alegria do trabalho bem-acabado. Eça de Queirós, que viveu sempre em apuros financeiros, deixou-nos um grande exemplo de dignidade literária. *"Instado por livreiros e apertado pela necessidade* (conta um dos seus críticos, o Sr. Fidelino de Figueiredo) *resiste a lançar-se no caminho da grande produção e guarda na gaveta um montão de obras concluídas, que pronto lhe trariam as libras apetecidas. Mas a sua probidade e o seu respeito da arte puseram esta sempre à margem e acima das transigências da vida! Um quarto de século depois, os filhos descobrem os papéis, num baú esquecido, decifram-nos, copiam-nos, publicam-nos — e um caudal de ouro lhes entra pela casa e pela do livreiro, quando são já sem consolação as amarguras do poderoso artista, que concebeu e abandonou essas obras".*

A luta entre a paixão intelectual e o desejo de viver é terrível, certamente, e deixa na alma um acre saibo de insatisfação e descontentamento. Mas a miragem da glória em que o artista tem fitos os olhos desde que se entende por tal, compensa em certa forma de todas as privações duma vida mesquinha.

QUEM SE IMPRIME...

Para os que pertencem à espécie literária, só há um prazer que se pode comparar ao de ler livros: é o prazer de escrevê-los. Este é até mais vivo e certamente mais ativo e fecundo. Com a petulância que lhe era habitual, dizia Oscar Wilde que quando queria ler um bom livro, escrevia-o. O fato é que nenhuma leitura nos sabe melhor que a das nossas próprias obras.

Sempre que não se trate de simples mania gráfica, que é o caso mais frequente, o escrever é uma *délivrance*, no sentido goethiano; é uma transpiração da alma, que por esse meio se liberta da afetividade reprimida; ou é uma sublimação, como querem os freudistas. Mas não basta escrever; é preciso também publicar, espalhar aos quatro ventos a própria emoção. Quem se imprime se desoprime. *Liber libertas*.

Aí temos o jovem literato que trabalha em sua obra meses a fio, febrilmente, escrevendo, escrevendo... Atormentado pelo demônio da insatisfação, retoca e refunde, compõe e recompõe. De repente, no meio da tarefa, a mais terrível das dúvidas, a dúvida de si mesmo, se apodera do seu espírito. Uma interrogação, terebrante como uma pua, insinua-se-lhe no cérebro: Será acaso um verdadeiro escritor? ou quem sabe não passa dum grafômano vulgar? Angustiosa e deprimente, a dúvida acaba por lhe tirar completamente o ânimo. Julga-se então um impotente mental, incapaz de escrever qualquer coisa que mereça ler-se. Não, não escreverá. Para quê?

Esta crise de esmorecimento costuma ser passageira, mas não é raro que dure meses, anos ou mesmo toda a vida. Dissipou-se logo, felizmente, o horrível sentimento de dúvida que salteara o espírito do nosso literato. Com tranquilo otimismo, mete mãos novamente ao trabalho, seguro do seu talento e dos resultados do seu esforço. Enfim, depois de mil penas e angústias, eis a obra concluída. Que grande peso lhe saiu da alma. Pronto. Só falta passar a máquina o manuscrito. É o menos. Pouco tempo depois estará datilografado.

Muito bem. E agora?

Agora... pobre aspirante a escritor! agora chegou o momento exato da sua humilhação. Chegou a hora de ser punido da inconsequência de seus afãs. O nefelibata vai cair das nuvens e esborrachar-se ridiculamente no chão duro da realidade. Quem o mandou escrever num país que ainda não acabou de aprender a ler?

Noutra qualquer parte em que a literatura não é uma palavra vã, o estreante levará o seu original a um editor, que, caso não o recuse logo, o entregará ao seu leitor, ou diretor literário. Este dirá depois se o livro — quase sempre um romance ou uma coletânea de contos — é aceitável, isto é, vendável. Se o jovem escritor tiver talento, é quase certo que o seu primeiro livro será aceito e, por conseguinte, impresso e bem colocado no comércio, garantidos previamente por um contrato razoável os seus direitos autorais.

No nosso país as obras literárias raramente encontram editor. A indústria do livro só agora começa a organizar-se. A mão-de-obra é cara, o material tipográfico é caro, o papel é caríssimo, e o pior é que o livro vende-se mal, por falta de mercados e organização comercial. São poucos os escritores brasileiros, mesmo entre os da primeira fila, que conseguem vender mais de mil exemplares duma obra. Vender bem esse milheiro já é um acontecimento digno de nota.

O escritor que se quer dar ao luxo de ser editado, paga por bom preço essa veleidade. Se edita a sua obra à própria custa, encontra depois infinitas dificuldades para colocá-la no nosso escasso e rarefeito mercado de livros. Uma vez fabricado o livro, é preciso vendê-lo. Mas sem publicidade, que é terrivelmente onerosa, o livro não se vende, e quando se vende (hipótese bastante improvável), o autor sua o topete para receber dos livreiros o produto dos livros vendidos. O melhor é fazer uma tiragem diminuta, de duzentos ou trezentos exemplares, para serem distribuídos, *gratis et amore*, pelos amigos e filantes de livros. Ao menos restará ao autor a esperança de ter alguns leitores inteligentes. Esperança completamente ilusória, acrescente-se logo. O leitor inteligente é mais raro que o melro branco ou o urubu-rei. E os amigos são os que menos acreditam no nosso talento. Quanto aos filantes, quem não sabe que essa gente detestável fila livros, não para os ler, mas unicamente pelo vício de filar alguma coisa?

Figuremos isto: Um jovem literato da província, aguilhoado pelo desejo de se comunicar com os homens através da letra de fôrma, escreve um livro, que faz imprimir, sabe Deus com que sacrifício de suas magras posses. Na sua opinião — opinião de autor — é o mais belo livro do mundo; porém, como facilmente se imagina, ninguém o quer comprar. Ora, quem escreve quer ser lido. Para que se há de escrever, senão para desabafar, para dividir com outros o que nos oprime o coração? Mas como conseguir os almejados leitores? O literato provinciano tem uma ideia: deixará toda a edição do seu livro, duzentos exemplares, numa farmácia conhecida, para distribuição gratuita aos fregueses da casa, como se faz com as folhinhas e almanaques de produtos farmacêuticos. A ideia é boa, aparentemente. No fim do ano, lá para dezembro, não há freguês de botica que não peça e obtenha o seu almanaque do *Elixir de Jurubeba*, das *Doenças da Mulher* ou das *Pílulas do Doutor Curatudo*.

Quando se esgote o sortimento desses úteis, amenos e despresunçosos livrinhos, o farmacopola passará certamente a oferecer a obra do nosso literato aos que continuem a pedir almanaques e folhinhas.

— Tem figuras? indagará alguém.

— Não, figuras não tem.

— Então não serve.

Outros perguntarão:

— Tem calendário com os santos e as luas e o horóscopo?

— Não, não tem nada disso. É um livro simples...

— Então não levo.

E outros:

— Traz carta enigmática, como o almanaque do *Elixir de Jurubeba*?

— Carta enigmática, não.

— Então não quero.

De fato, para que diabo se há de querer um livro que não tem figuras, nem traz o horóscopo, nem calendário com as fases da lua nem carta enigmática?

Algum tempo depois, não é improvável que aconteça o seguinte: ao retirar os seus livros da farmácia, verificará o pobre literato que os duzentos exemplares que lá deixara voltam sem faltar um só. E ainda será bom se não vier no meio deles alguma obra igualmente ignorada e que também não encontra quem a queira ler.

Esta é a tragédia moral do autor desconhecido. Quem se imprime se oprime.

VALOR LITERÁRIA E POPULARIDADE

Os escritores principiantes costumam menosprezar o grande público: escrevem unicamente, na sua ingênua honradez, para serem lidos por alguns eleitos. Só pelo diante é que muitos compreendem que nenhuma obra é eficaz se não entra em plena comunicação com o público. Eis porque a maioria deles é levada então a transigir um pouco ou muito com o *mau gosto* e a *incompreensão* do leitor vulgar. Que se há de fazer? É preferível, pensam, baixar a arte ao nível da multidão a permanecerem fechados na torre de papel, ocupados num estetismo inútil, num individualismo literário que não conduz a nada.

A todo artista é necessário um público *mesmo de patetas*: assim dizia Nietzsche, que sofria de não encontrar para a sua obra, não a estima da multidão, que ele desdenhava, mas simplesmente um pouco de simpatia intelectual. Porque mesmo um espírito aristocrático, como o solitário pensador de Sils-Maria, consciente do seu próprio valor, certo de ser o maior escritor alemão depois de Goethe e de Schopenhauer, sabendo-se acima de sua época, prenunciador de novos tempos, renovador de valores; mesmo um grande orgulhoso, como era Nietzsche, aspira a um pouco de compreensão, deseja uma palavra amiga de incitamento e de aplauso, quer ver a sua obra julgada por um bom juiz. Quando se considera que a existência dum tão alto e fecundo gênio transcorreu inteira num abismo de silêncio; quando se sabe que dos admiráveis livros que Nietszche legou aos homens que pensavam não se venderam enquanto foi vivo cem exemplares, sendo ele forçado a imprimi-los à própria custa por não encontrar editor que os quisesse; quando se pensa que da última parte do *Assim falava Zaratustra*, livro hoje em todas as mãos, tirou Nietzsche apenas quarenta exemplares, dos quais só sete encontraram destino certo, isso enquanto muitíssimas outras obras de que não se guarda agora a menor lembrança eram impressas e lidas às centenas de milhares; quando se atenta num fato como esse, que não é único, devem entender-se como absolutamente caprichosos e falíveis os juízos literários e é bem o caso de se justificar o mais completo desdém pela popularidade.

Exemplos como esse existem às centenas. Stendhal, mestre do romance psicológico, e Holderlin, o maior poeta lírico da Alemanha, viveram ignorados ou incompreendidos no meio dos seus contemporâneos e só vieram a ser descobertos e admirados duas gerações adiante. O valor de George Meredith só foi reconhecido na Inglaterra quando o grande romancista de *O Egoísta* já andava na casa dos sessenta anos. A lista é interminável.

Sempre foi assim. A multidão desatenta e incompreensiva jamais suspeita de que possa viver entre ela algum ser excepcional, sobretudo se se trata do herói extemporâneo, acima e além das preocupações de sua época. Pois justamente por isso, dirão os partidários da *réclame* literária, exatamente por ser incapaz de procurar por si mesmo o que é bom, é que lhe inculcamos pela propaganda as obras recomendáveis. Aí está porque George Bernard Shaw, grande trocista e insigne cabotino, se fez fotografar certa vez em Londres guiando um carrinho de maçãs, a fim de chamar a atenção para o seu livro *The Apple Cart. "Sou partidário da propaganda literária"*, disse então Shaw. *"Quem não faz propaganda de seus livros é um hipócrita.*

Não é o grande público que faz a reputação de um verdadeiro escritor; o grande público só faz a reputação dos escritores vulgares. A reputação do seleto é pelos seletos que deve ser feita. Assim pensam os que fazem gala de aristocratas e de contemptores da multidão ignara, como é o caso de André Gide, autor de escol, que proibia a seu editor fizesse de seus livros qualquer espécie de propaganda. Outro fino e sutil escritor francês, Paul Valéry, considerado por muitos o maior poeta de França na atualidade, disse que há sempre na literatura uma coisa suja: a consideração do público, que não se alcança sem adulação, sem transigência, sem charlatanismo, e por isso não há produto literário isento de impurezas.

Segue-se então que a voga desqualifica o escritor? Claro que não. Como o outro que disse, os grandes êxitos não provam nada, nem mesmo contra. O muito admirado nem sempre é o realmente admirável, mas isso não quer dizer que o grosso público tenha um pendor especial pela ruim literatura. Afirmar semelhante coisa, seria o mesmo que pretender que o valor duma obra é tanto maior quanto menos repercute na multidão, ou vice-versa. Tal modo de ver é caprichoso e não pode ser tomado ao sério. O fato deve ser encarado de outra maneira. Não há uma relação necessária entre o valor literário e a popularidade de um livro. Um livro pode ser muito grande sem ser nenhumamente popular, ou pode ser imensamente popular sem que contenha qualquer elemento de grandeza. Estes são os casos mais frequentes, e é neste sentido que se fala em literatura popular e em literatura de escol.

O fato é que um livro pode ser grande e popular ao mesmo tempo, como é o caso do *Dom Quixote*, ou das *Viagens de Gulliver*, ou do *Robinson Crusoe*, ou das *Fábulas* de La Fontaine, ou do *David Copperfield* de Dickens... Esta é a condição ideal, em verdade raramente observada, não por culpa do público, convém dizê-lo, mas sim dos autores a cujas obras falta a dupla virtude de grandeza e popularidade: condição que só se encontra quando o autor de gênio tem aproximadamente o mesmo gosto do leitor comum. Explica-se destarte a maravilhosa popularidade dum La Fontaine ou dum Dickens, escritores universais e humanos. Quer-se um exemplo, e de primeiríssima ordem, de que o muito apreciado pelo grosso público acaba por ser admirado principalmente pelos espíritos mais distintos? Aí o temos no Dom Quixote. Em vida de Cervantes, os que tinham reputação de grandes literatos eram os Argensola, Frei Diego de Arce, o Doutor Mira de Amescua, Francisco de Ortigosa, Laredo...

Cervantes, na opinião dos seus coetâneos, não passava dum escritor de obras chocarreiras, para recreio do vulgo; não era um erudito, um pensador, nem um poeta seleto. Os intelectuais do seu tempo motejaram-no de *"ingenio lego"*, e ele próprio reconhecia humildemente não ser mais que um *romancista*, isto é, um escritor em língua vulgar. Aliás o *Dom Quixote*, como o compreendemos hoje, é mais uma criação de crítica psicológica oitocentista que propriamente do boníssimo D. Miguel, que inventou, sem o suspeitar o romance moderno no sentido em que o entendia Taine, isto é, como *"une grande enquête sur l'homme"*.

É fora de dúvida que o grande público é incapaz de apreciar as melhores qualidades dum escritor. Os primores da forma, as excelências do estilo, as finuras ou a profundeza do pensamento são faculdades que lhe passam quase despercebidas. Bem ou mal escrita, a obra só consegue prender pela imaginação. E uma coisa é certa: para o leitor comum, como para um Voltaire, todos os gêneros são bons, exceto o gênero enfadonho.

Dirá algum espírito refinado que o que agrada a um Voltaire não agrada ao leitor comum, e reciprocamente, sendo tudo uma questão de gosto, por não dizermos de bom ou mau gosto. E terá razão. A questão é inconciliável. Por isso haverá sempre escritores que busquem especialmente os sufrágios da multidão e outros que aspirem à só admiração de alguns iniciados, sem prejuízo duma terceira espécie que almeje o favor universal e ambicione satisfazer a todos os paladares.

ACERCA DO ROMANCE

Não há escritor moço, por pouco que se tenha ensaiado na poesia ou no conto, que não ambicione publicar um romance, mesmo se não existe nele uma imperiosa vocação de ficcionista. É impressionante, nas grandes literaturas contemporâneas o número de romancistas. A voga do romance explica-se. Trata-se de um gênero literário capaz de conter todos os outros e apto como nenhum outro a exprimir o que se quer. Sucedâneo moderno da antiga epopeia, é por todos os motivos o gênero mais natural das sociedades.

Assim o entendia, por exemplo Paul Bourget, que foi talvez o romancista mais representativo da França burguesa de seu tempo. Dizia Bourget, pouco antes de sua morte, ao romancista e crítico italiano Lucio d'Ambra:

— O romance... Quanto mais avanço na idade, tanto mais desenvolvo minha obra no estudo da arte que nasceu, e mais me convenço de que o romance é a forma mais ampla e mais livre da composição literária. No seu hibridismo, feito ao mesmo tempo de poesia, porque vem da epopeia, e da ciência, porque vive de exatidão e verdade, esta forma de arte que é o romance, forma vasta, ágil, fecunda e completa, é a única que convém à representação de todas as ordens de problemas, ideias, conhecimentos, sensibilidade. Preferida um dia pelos escritores, converteu-se desde então quase exclusivamente, pelos mais variados motivos, na forma de expressão dos artistas literários de nossa época. E ocorre-me à lembrança uma tarde longínqua em que estávamos reunidos em casa de meu venerando Mestre Hippolyte Taine, no *boulevard* Saint Germain. Meu Mestre Taine gostava de abordar os grandes temas, e, como nessa noite se achava conosco o célebre romancista russo Ivan Turgueniev, falava-se precisamente da arte do romance e suas possibilidades. Uma grande luz iluminava os olhos do escritor moscovita, quando, levantando os braços, com gesto profético, gritou a Taine e a todos nós: *"O romance será tudo e absorverá tudo. O romance será a verdadeira crítica e a verdadeira história do porvir "*.

A profecia parecia realizar-se, ou em vias de realização, na época de Turgueniev, na qual o romance ocupava um lugar proeminente, coincidindo com o exacerbado individualismo romântico do século passado e primeira década do atual. Haviam-se sucedido três florações de notabilíssimos romancistas (três gerações românticas, segundo a classificação de Ernest Seillère), de Chateaubriand, Balzac, Stendhal, Manzoni, Dickens, Emily Brontë, Eliot, Camilo, passando por Flaubert, Dostoievski, Turgueniev, Daudet, Zola, Verga, Pereda, até Maupassant, Bourget, Loti, Hardy, Eça de Queirós; D'Annunzio, Galdós. Esses gigantes do romance parecem-nos hoje os representantes de uma grande fauna extinta.

De então para cá, e especialmente depois da primeira grande guerra mundial, tem-se falado muito em crise de romance e até mesmo em agonia e morte próxima desse gênero literário. Esta profecia de mau agouro seria um desmentido formal ao vaticínio otimista de Turgueniev, se o romance estivesse realmente em transe de morte ou de proscrição. Não é entanto o que parece. Quantidades enormes de romances novos continuam a publicar-se em todas as partes. Não se veem sinais de agonia, mas talvez, sim, de transformação completa, não só na forma, como na substância e no sentido. O grande romance europeu do tempo de Balzac, Dickens, Flaubert, Tólstoi, Bourget, era, então, verdadeiramente, o gênero mais natural da sociedade. Não o é hoje na opinião de alguns analistas do assunto. Por quê? Uma resposta bastante pertinente é a que deu a este propósito o finado Benjamim Crémieux, em artigo publicado poucos anos antes da última grande guerra:

"O romance é o gênero literário mais natural das sociedades e dos regimes estabilizados. Se no momento atual não goza do fa-

vor público, deve-se isto simplesmente a que se acham vacilantes os antigos regimes, enquanto que os novos não estão ainda suficientemente sólidos".

Isso dizia, depois de citar as seguintes palavras de François Mauriac, que na opinião dele, Crémieux, iam muito longe e colocavam o problema em seus termos essenciais: *"A Rússia soviética não existirá verdadeiramente senão depois que um de seus escritores nos tenha dado um grande romance".*

E concluía Crémieux: *"Eis aqui um meio que a ninguém lembrou para medir a solidez de um regime: – Dize-me quanto produzes na pauta dos bons romances, e eu te direi até que ponto és estável".*

Dentro desta ordem de considerações, a crise terá explicação mais ou menos satisfatória no que ficou dito: crise que provavelmente passará, uma vez que a sociedade alcance relativa estabilidade. E dizemos relativa porque as sociedades mantêm-se normalmente em equilíbrio instável.

Sobre a instabilidade da sociedade oferece um impressionante testemunho o próprio romance, anti-social na sua origem e nos seus fins, segundo Roger Caileis, sociólogo da novelística, opinião que em René Guastalla (*Le Mythe et le Livre*) vemos estendida a toda a literatura, por este último crítico considerada como uma reação do indivíduo contra a sociedade, ou ignorância do indivíduo pela cidade. Espelho de certos aspectos da sociedade, o romance (ou toda a literatura, se preferirmos) reflete a coletividade desde o ponto de fricção em que o indivíduo entra em conflito com ela. É um dos elementos energéticos da vida social, mas opera com efeitos desmoralizantes sobre a mediocridade, as ilusões e os convencionalismos dos grupos humanos.

* * *

Não parece exato que o romance esteja em crise. Nada há que prove existirem hoje menos leitores de romances nem menos romancistas que no século passado. O contrário é que parece admissível. Mais do que nunca abundam na Europa e na América do Norte os romancistas*. Romances de capas vistosas ou singelas vão-se espalhando pelo mundo em busca dos que amam as novidades estrangeiras. Romances psicológicos, romanescos, idealistas, sociais, impressionistas, cada gênero comportando as mais variadas maneiras e os estilos mais particulares, amontoam-se nas nossas mesas e abarrotam-nos as estantes: romances que, embora não sejam quase nunca propriamente originais, sempre contêm alguma virtude de leitura e justificam aquilo de que não há obra má que não tenha algo de bom. Infelizmente a vida é demasiado curta para lermos todos os livros que merecem ser lidos; e, conquanto seja o mais atraente dos gêneros literários, o romance não é toda a literatura. Ai de nós que não vivemos ao menos cem anos para lermos todas as obras que nos dariam verdadeiro prazer!

O romance não está em crise, como pretendem algumas aves agourentas que veem crises em tudo. O romance parece mais florescente que nunca, a começar da Inglaterra, onde ainda se encontra a mais rica literatura da Europa.

Já não há grandes romancistas como os do século passado, o século dos grandes romances. Já não é frequente o romance com a estrutura dos de outrora, com os grandes fatos de vulto encadeados numa série lógica de peripécias e encaminhando-se para uma crise final. Passou da época o romance à maneira de Balzac, com personagens centrais que definiam tipos humanos: o avarento, o militar, o jogador, o negociante, o devoto, o usurário. Não se concebe mais

*. Em harmonia com a expansão literária que se verifica ultimamente em toda a América Latina, facilitada com o notável incremento da indústria livreira no México, no Brasil, na Argentina e no Chile, é grande o impulso tomado pelo romance nos países latino-americanos, de tal modo que, na opinião do crítico espanhol Enrique Díez-Canedo (*Letras de América*, México, 1944), esse avassalante gênero literário "está chamado a ser o mais vigoroso instrumento de conhecimento mútuo entre estes países". Previsão que se vem confirmando. Nos dezoito países americanos de idioma espanhol publicam-se anualmente uns duzentos romances novos, informa-nos Luís Alberto Sánchez, em seu livro *Proceso y contenido de la novela hispano-americana,* Madrid, 1953. - *NOTA DA PRESENTE EDIÇÃO.*

o romance de intenções moralizadoras, com uma intriga engenhosa e emocionante que rematava no triunfo da virtude e na punição do vício, para a edificação da alma do leitor burguês. Também já passou o romance em que se tentavam aplicar o processo das Ciências Naturais ao estudo dos indivíduos ou grupos, como fazia Emílio Zola, que escrevia a história natural e social duma família, determinando as influências da hereditariedade e do meio.

Já não há grandes romancistas ao gosto do século XIX, mas há grandes romancistas ao gosto do nosso século, e desdenham a pura ficção, preferem escrever livros de textura mais analítica, mais vívida, mais humana. Por isso o romance de hoje é um romance individual, não raro lírico e com frequência autobiográfico, feito por escritores essencialmente cerebrais que tudo intelectualizam, por engenhos sutis que se comprazem nas mais ousadas e complexas análises psicológicas. "Não concebemos mais", diz François Mauriac, um dos mestres do moderno romance francês, "não concebemos mais uma literatura romanesca desviada do seu verdadeiro fim, que é o conhecimento do homem". O romancista está agora mais perto do ensaísta, do crítico, do lírico, do historiador de arte e mesmo do filósofo. Podendo variar infinitamente de personagens e situações e estudando os meios mais diversos, quando o quer e ousa, consegue representar importantíssimo papel social e político. Chateaubriand, Victor Hugo, Dickens, Manzoni, Zola, Tólstoi, Hardy, influíram grandemente nas ideias e nos movimentos sociais do seu século. Tanto é verdade, que um ilustre historiador e publicista italiano, Guglielmo Ferrero, foi tentado a escrever uma série de romances, para condensar nessa forma animada tudo o que pôde observar durante a vida. É que o romance, como Ferrero o entende, realiza uma das formas mais altas da atividade intelectual. Se a História estuda as paixões coletivas e os grandes dramas retraçam conflitos da vida em sociedade, o romance evoca as tragédias morais, as paixões dos indivíduos.

Os que na Europa, nomeadamente na França, falavam em crise do romance, alegam que os romancistas de hoje não possuem como os antigos as qualidades de imaginação. O advento do romance literário, escrito com apuro artístico, o prestígio do romance puramente psicológico ou de intenções filosóficas, críticas, sociais ou morais, relegou para um plano inferior tudo quanto era cor, pitoresco, invenção, intriga, movimento, entusiasmo. O *assunto* tornou-se de somenos importância. Para os Goncourt, a escrita artística, as-notas de canhenho, o estudo meticuloso do meio era o principal e suficiente; a imaginação ficava para os fabricantes de romances em grosso, da marca de Ponson du Terrail, "esse abominável folhetinista que ganha quarenta mil francos por ano e tem um carro", como se lê no *Diário* dos dois irmãos.

O exagero desta fórmula, que pretendia que o romance não deve conter nenhuma ação, desacreditou-a perante o grande público que nele busca acima de tudo um bom enredo romanesco e é incapaz de apreciar as melhores qualidades duma obra literária. Mas se a maioria só se interessa pela intriga, passando-lhe despercebidos os primores literários, não é verdade que haja reciprocamente uma minoria de escol que ame apenas no romance a estrutura interna, idiomática ou psicológica, e desdenhe as exterioridades dos acontecimentos e dos seres. Os bons apreciadores do gênero exigem que o romancista lhes ofereça uma narrativa interessante e bem-travejada nos seus fatos de vulto e que ao mesmo tempo incite a pensar e a sonhar.

A faculdade básica do romancista é a imaginação, porém a superioridade do romance literário sobre o romance popular consiste principalmente nas qualidades do estilo, na contextura vocabular, na eficácia da expressão. O ideal é que os dons da imaginação se aliem aos do estilo, como se nota com frequência em romancistas ingleses, Stevenson, Collins, George Eliot, Kipling, Wells, ou no francês Pierre Benoît. Os romancistas deste tipo mostram que é possível escrever livros em que o vivo interesse da narrativa é mantido através de um estilo claro e puro, em que o alto engenho inventivo anda à porfia com o mais sutil espírito de análise e de observação. E o que se quer é justamente isso: a transposição do real mediante uma fina estilização.

A necessidade do romance é perene. A imaginação humana alimenta-se de magia, de sonho, de fantasia; de romance, em fim de contas. Spengler chamou mágica à civilização árabe, e, efetivamente, entendem-se melhor as histórias maravilhosas das *Mil e uma Noites* quando se considera que os Orientais viveram durante séculos (e ainda vivem pela maior parte) na crença de estarem em contato familiar com o milagre. Mas os Ocidentais têm também as suas *Mil e uma Noites*, que são, como disse um sutil espírito, a filosofia e a literatura. "*Todo este Ocidente, diz um personagem do* Idiota *de Dostoievski, toda vossa Europa é pura fantasia, e nós mesmos, no estrangeiro, nada mais somos que fantasia*".

Todo homem tem necessidades imaginativas e precisa satisfazê-las. Na fábula, no conto, na história, no romance encontra poderosos excitantes da Imaginação. As crianças saboreiam as peripécias de uma historieta quase tanto como as doçuras de um caramelo. Perrault, Andersen, Grimm, enternecidos demiurgos, criaram um pequeno mundo de prodígios, desbordante de poesia ingênua e graça inocente — o melhor dos mundos. Júlio Verne, Mayne Reid, Emílio Salgari encantaram a nossa meninice, e, já homens, conservamos por muito tempo a recordação das nossas alegrias de criança. A imaginação infantil é uma obreira maravilhosa: evoca e completa os quadros e as cenas; é miraculosamente criadora. Mais tarde a idade põe-nos nas asas da fantasia o chumbo da razão e da análise. Que pena ser sensato e que alegrias se perdem com o siso!

Mas nem sempre a gravidade adulta fecha o homem às puras alegrias da imaginação. E é uma felicidade que aconteça frequentemente o contrário. Privados da faculdade de sonhar, mergulharíamos todos num tédio sem fim. Na prisão de Pittsburg, nos Estados Unidos, um condenado à morte, enquanto esperava o dia de sua execução, distraía-se a ler com o mais vivo interesse um romance-folhetim publicado diariamente num jornal da cidade. Quando marcaram o dia de o justiçarem na cadeira elétrica, ainda não havia o jornal concluído a publicação do sensacional romance cujo desfecho o preso esperava ansiosamente, vendo que a seu pesar não chegaria a conhecer. Ciente da mágoa que tal fato causava ao pobre condenado, a empresa do jornal que publicava o folhetim decidiu-se a satisfazer-lhe a derradeira curiosidade, para o que fez remeter à prisão de Pittsburg, dois dias antes da execução, as provas tipográficas do empolgante romance-folhetim. Eis aí como as peripécias sedutoras duma história imaginária fazem quase esquecer num indivíduo as mais trágicas circunstâncias de sua existência.

* * *

A crise a que aludimos poderia talvez admitir-se, mas unicamente para a parte mais recente e inovadora da literatura narrativa moderna. Dentro do quadro flexível de sua estruturação, o romance diferenciou-se em numerosas formas heterogêneas, excessivamente afastadas do que se pode chamar a narração pura. Enriqueceu-se com interessantes experimentos artísticos, adequados à expressão de individualidades sofisticadas pela vida moderna, mas perdeu aquela unidade ideal, garantida pela presença secreta, porém efetiva, do narrador e autenticada pelo sentido pragmatista, universalmente humano, que havia nas formas mais próximas da epopeia antiga e medieval.

Note-se, entretanto, que a literatura, que tem no romance a sua expressão mais universal, é marcadamente individualista ao contrário da velha poesia épico-narrativa. Esta exprimia os mitos da cidade ou os mitos religiosos. A literatura (a tese, muito aguda, é de René Guastalla) opõe-se a esses mitos, isto é, às formas de pensamento coletivo que servem para a comunhão dos indivíduos e a exprimem poeticamente. Os mitos da literatura — os romances, por conseguinte — são puramente individuais, nascem do divórcio entre o escritor e o meio.

Mais importante, porém, que o caráter sociológico do romance é a razão psicológica de sua existência. Esta é suficiente para explicar a permanente necessidade de romanesco que há na nossa espécie. Todo homem tem necessidades imaginativas que precisa satisfazer. Veja-se como a criança é louca por histórias. E a criança, tem-se dito, é o pai do homem. Só na extrema decrepitude os homens perdem todo o prazer de multiplicar na imaginação a própria vida mediante a dos personagens criados pela ficção. Schopenhauer dizia, há cem anos, que a mais simples, a mais justa definição que se podia dar da poesia era considerá-la como "a arte de pôr em jogo a imaginação". A definição, como é bem de ver, aplica-se à poesia no seu sentido mais abrangente. Mas, de modo especial, cabe ao romance, e, mais ainda, ao romance romanesco, feito para exaltar a imaginação, herdeiro legítimo da antiga poesia narrativa épico-lírica.

Certos espíritos imaginativos, mais inclinados à poetização do quotidiano, pedem histórias entretidas, fábulas, contos, poemas, criações líricas e romanescas. Outra família de imaginativos, estes mais inclinados às abstrações e à especulação pura, só encontram bom alimento para a fantasia nas produções mais sólidas da metafísica e da filosofia. Anatole France confessou — zombaria de ironista pirrônico – que lia os livros de metafísica como romances mais divertidos que os outros, porém não mais verídicos. Esta opinião, que na boca dum ironista, pode passar por frívola, deixa de o ser, se proferida por um filósofo como George Santayana, que disse em alguma parte (talvez na sua *Psicologia literária*) que a filosofia caíra numa cilada quando deixara de ser a arte de pensar e tratara de se converter em uma impossibilidade: na ciência do pensamento. Aquele filósofo norte-americano de origem espanhola, espírito imaginativo e poético, e por isso mesmo filósofo artista, queria dizer que a *filosofia*, que é e tem de ser *literatura*, ambicionou o irrealizável, pretendendo ser *ciência*. Disse Santayana: "Toda a filosofia inglesa e alemã é mera literatura'". E, logo, sem circunlóquios, acrescentou: "... Só quando essa filosofia é boa literatura, é que serve para alguma coisa".

Literatura se confunde, no início, com a função fabuladora, específica no homem, de tal modo que a palavra espanhola *habla*, ou *fabla* (arcaica) e a portuguesa *fala*, têm a mesma raiz de *fábula*, e o italiano *parlare* e o francês *parler* encerram a ideia de *parábola*. Fabular e falar têm originariamente o mesmo sentido. Falar e "contar histórias" são também, em muitos casos, expressões sinônimas na linguagem corrente.

E um perigo parece ameaçar a novelística de nosso tempo: a carência de faculdade fabuladora. As análises sutis prevalecem sobre as ideações míticas. O romancista deixa de ser poeta para se tornar homem de ciência.

Tudo faz crer, entretanto, que sempre haverá romancistas fiéis à sua principal função: a de narrar pelo prazer de narrar; a de nos dar uma visão transfiguradora dos seres e das coisas, forjando-os mais vivazes que os da vida; a de contar histórias para a eterna criança que é o homem.

DIVÓRCIO ENTRE O ESCRITOR E O MEIO

O homem de sensibilidade artística — *o homo oestheticus* — é quase sempre um indivíduo anárquico, inconformado e hostil a todo constrangimento imposto pelo meio social. A irritabilidade dos poetas, o mau humor dos artistas, as queixas dos bons espíritos, são tradicionais e proverbiais. Um escritor ou um artista de talento acha que o seu meio é o pior de todos. E volta-se contra ele, com impertinência, com ironia, com desprezo e, às vezes, com rancor e violência. Carlyle desprezava os ingleses; Schopenhauer e Nietzsche, os alemães; Leopardi, os italianos; Chamfort e Flaubert, os franceses; Larra, os espanhóis; Eça, os portugueses; Edgar Poe e Henry Miller, a massa democrática de sua terra.

Edgar Poe justificava o descontentamento dos poetas. Quem não é irritável, dizia, não é poeta. Fazia a própria defesa. Em Baudelaire, o descontentamento e a irritabilidade contra a França burguesa chegaram a tornar-se exasperantes. Escrevia o poeta à sua mãe: "Eu voltarei contra a França inteira o meu real talento de impertinência. Tenho necessidade de vingança como um homem fatigado tem necessidade dum banho".

Semelhante estado de espírito é o causador do divórcio entre o escritor e o meio, ou resulta precisamente desse divórcio, que aumentaria ainda mais a natural solidão do escritor? Metade e metade, talvez. Mas a solidão é um fato. Na cidade antiga, o poeta é o vate, isto é, o profeta, o vidente, o que sabe.Tem originariamente, na formação da cultura primitiva, uma função vital, social e litúrgica, a serviço dos mitos coletivos. O poeta-vidente pertence ao passado. Em seu lugar, na sociedade moderna, surgiu o escritor com suas singularidades e seus mitos individuais, que aspiram a substituir os da coletividade. O escritor é normalmente um herético porque nunca está satisfeito e desejaria um mundo a seu modo. Isso quando não é um puro niilista. Em épocas de intolerância (mais frequentes que as de liberdade de pensamento), ou emudece, ou arrisca-se a ir para o exílio, o cárcere ou o campo de concentração.

Claro que o fator contramítico ou neomítico não é o único nem foi sempre o principal na atividade do escritor. Entram outros elementos na sua função cultural. E mesmo colocado a contra corrente, o escritor pede um público, numeroso ou seleto. O orgulhoso Stendhal esperava ser lido sessenta anos depois de sua morte. Outro orgulhoso, Nietzsche, desprezador das multidões, contentava-se com dez leitores inteligentes. E não os teve, enquanto viveu.

Para o caso das literaturas europeias vivas, o divórcio entre o escritor e o meio começa a acentuar-se no trânsito medieval do século décimo-segundo para o décimo-terceiro. Até essa altura, a poesia é quase unicamente religiosa e épica, de índole anônima e tradicional. Composta pelos trovadores, corria na boca dos jograis, que ganhavam a vida nas cortes, nos palácios, nos mercados, nas feiras ou na via pública divertindo o público com a música, a literatura, o canto, a dança, ou com acrobacias, jogos de mãos, charlatanices, etc... O trovador compunha os versos, o jogral cantava-os ao compasso dum instrumento.

(O *payador* do Prata e o cantador do Nordeste são jograis retardados.) Propagados oralmente ou mediante cópias manuscritas, os versos reproduziam-se adulterados, modificados em cada repetição, refundidos em cada variante, para melhor ou para pior. O autor era esquecido e nas cópias aparecia às vezes unicamente o nome do copista.

Essa poesia tradicional, anônima, ao gosto do povo, é conhecida na história da literatura espanhola pela designação de *mester de juglaría*, isto é, mister, ministério ou ofício próprio de *juglares*. Em face dessa poesia tradicional, épico-religiosa, épico-heroica ou épico-lírica, poesia de clã ou de grupo, surge outra, individual, culta, influenciada claramente pelo latim e exercida por poetas eruditos que conhecem as regras da arte de rimar e trovar. E a que naquela literatura se designam como *mester de clerecia*, isto é, mister próprio de clérigos ou letrados.

Na sociedade cristã medieval, quem diz clérigo diz letrado. O sacerdote é depositário do saber, e por essa razão a palavra *cleresia* torna-se logo sinônima de *cultura*. E vêm a propósito observar que

Julien Benda retomou o nome de *clerc* como sinônimo de *letrado* ou *intelectual*, por entender que os intelectuais ou letrados constituem uma casta, análoga de certo modo à sacerdotal, depositária e defensora dos valores eternos do pensamento.

O primeiro poeta espanhol cujo nome chegou até nós, Gonzalo de Berceo, chama "pobre de cleresia" a um sacerdote inculto. Berceo orgulha-se de seu estilo de poeta culto, estilo diverso do usado pelos poetas populares, jogralescos. Não quer que o confundam com um desses, intitula-se mestre: *"Yo, mestro Gonzalo de Berceo nomado..."* Liga o nome aos seus trabalhos, para não ser esquecido: *"Gonzalo fue su nombre, que hizo este tratado..."*

O realismo ideal da Idade Média dirige-se à comunidade cristã inteira, não na sua materialidade terrestre, mas na sua idealidade teológica. A Renascença opera uma mudança de direção para o humano e o terrestre, do que resulta uma divisão: a aristocracia do gênio e o plebleísmo da massa. Acentua-se a separação entre a literatura popular e literatura erudita. Com os humanistas — Erasmo a encabeçá-los — surgem os primeiros *intelectuais*, desses que vivem isolados em *torres de marfim*. Os grandes autores do século XVI, XVII, e XVIII, franceses, italianos, espanhóis, portugueses, impregnados de classicismo, eruditos e latinizantes, escrevem principalmente para as classes ilustradas. Depois, os românticos buscarão o popular, o medieval, o tradicional, o folclórico. Será enorme a popularidade de um Walter Scott, um Victor Hugo, um Lamartine, um Manzoni, um Zorrilla, assim como de todos os grandes romancistas do século passado. Mas logo a seguir serão também numerosos os grandes escritores de público reduzido, ou mesmo impopulares, que não sabem ganhar a vida como escritores: Stendhal, Poe, Baudelaire, Flaubert, Villiers de l'Isle-Adam, Verlaine, Mallarmé... Com o parnasianismo e o simbolismo virão os escritores da "arte pela arte" e da "torre de marfim" os "raros", os "magníficos", desdenhosos do público. A separação entre o público comum e o escritor de talento invulgar, orgulhoso de sua superioridade, se agravará com Jarry, Apolinaire, Gide, Proust, Valéry, Claudel, cem outros.

A escassa comunicabilidade da poesia moderna documenta melhor que tudo o que fica dito. As modernas direções líricas movem-se num terreno accessível a poucos. Os poetas novos desprezam a clareza, buscam intencionalmente o enigmático e obscuro. E isto, em verdade, não é nada de novo. Sempre se reconheceu certa conexão entre poesia e hermetismo.

Os que examinam as relações entre a poesia e a língua não ignoram que a palavra de uso vulgar vai sofrendo uma como deteriorização semântica que, com o correr do tempo, reduz suas relações de sentido, até privá-la de verdadeira eficácia estética. Daí o esforço do poeta para individuar suas percepções e descobrir a expressão *própria*, singular, enigmática às vezes, para cada uma delas. O poeta que foge ao muito dito e redito, repetirá sempre, como Carducci: *"Odio l'usata poesia..."* E por esta forma permanecerá fiel à natureza de sua arte.

O caso não é só da poesia nova, senão também de toda a arte de vanguarda, pintura, música, escultura, teatro... Todos os "ismos" novos, sobretudo os estéticos, são espanta-burgueses. E burguês é, por definição, *"um monsieur qui ne comprend pas"*. E se os espessos burgueses não compreendem é porque a arte moderna repele a maior parte dos meios de agradar — tornados demasiado fáceis — que usavam os grandes artistas do passado. Ao público médio, representado pela mediana burguesia é que aludo aqui, e não às massas, atrasadas cem anos nestas coisas.

Quem considere a literatura e a arte exclusivamente sob certo ângulo sociológico, o marxista digamos, achará que o divórcio existente entre o público e o escritor ou o artista é um sintoma da dissolução irremediável do mundo burguês. Tal juízo, é claro, não tomará em consideração outros fatores que entram no caso. São vários, mas lembraremos apenas dois. Um é que o poeta ou o artista, junto com os iniciados ou os *snobs* que os compreendem ou conhecem, formam um círculo cultural errado de tipo muito antigo. Outro — tratando-se do escritor – é que a inteligência, faculdade abstrata, não interessa à multidão e constitui o privilégio de um pequeno número.

Mas, e a função vital que lhes cabe no ambiente cultural que os rodeia? Acaso pode o espírito subsistir só? A resposta acha-se num dos princípios capitais da teoria do espírito. "O que se recolhe na contemplação irrompe na criação." E a própria criação interior integra-se por fim na ação exterior.

O JOGO, A CULTURA E A POESIA

É uma ideia que sempre nos agradou, a das relações do jogo ou brinquedo com a cultura, a da atividade lúdica concebida como fenômeno cultural de primeira importância. Várias teorias do jogo têm sido expostas, aplicadas especialmente ao estudo do desenvolvimento mental da criança ou ao campo da atividade artística, desde Platão a Schiller, Spencer, Groos, Lange, Souriau, Fanciulli, Buytendijk...

Claparède, na *Psicologia da Criança*, entende que o caráter próprio do jogo ou atividade lúdica se acha na livre procura de fins fictícios a qual permite ao indivíduo realizar a própria personalidade no sentido mais favorável à sua expansão. O indivíduo joga quando não pode realizar satisfatoriamente o seu eu recorrendo às atividades sérias. Mais do que isto: procura o jogo por amor à comédia que conscientemente representa e porque o jogo se baseia na tendência que o leva a sair do domínio da necessidade e entrar no da liberdade.

Esta tendência explica a extraordinária importância do jogo no conteúdo das nossas ações e, mais ainda, no fenômeno totalitário da cultura humana. O homem é um animal que brinca — *homo ludens* — e, poderia dizer-se com Schiller, não é completo senão quando brinca.

Homo ludens é precisamente como se intitula uma obra de J. Huizinga, que lemos na tradução espanhola. A obra traz o subtítulo de *O jogo e a cultura* e é uma análise muito aguda do papel da atividade lúdica no fenômeno cultural. O autor, ilustre historiógrafo holandês, emprega os recursos do pensamento científico-cultural e, embora não recuse importância à interpretação psicológica do jogo, quase não a utiliza, assim como não aplica conceitos e explicações etnológicas, se bem que em alguns casos limitados apresente fatos desta última ordem.

Quando se viu — nota Huizinga — que a designação *homo sapiens* não convinha tanto à nossa espécie como a princípio se acreditava, pois o homem, na realidade, se mostra *plus raisonneur que raisonnable*, buscou-se outro qualificativo — de *homo faber*. Este é ainda menos adequado, porque a muitos animais pode aplicar-se o qualificativo de fabricante. E acresce que o nome de *homo ludens* — homem que joga, homem que brinca expressa uma função tão essencial como a de fabricar. Merece, portanto, ocupar seu lugar junto ao de *homo faber*.

Pode acontecer que, se examinamos até o fundo o conteúdo de nossas ações, nos ocorra a ideia de que toda a atividade se reduz em fim de contas a simples jogo. É uma velha ilusão, adverte Huizinga. Entretanto, não vê objeção de peso contra a sua convicção de que a cultura humana brota do jogo — como jogo — e nele se desenvolve.

Qual a essência e significação do jogo como fenômeno cultural? É o que o livro em referência investiga. O jogo é anterior à cultura. A civilização humana nada lhe acrescentou de essencialmente novo. Os animais brincam, do mesmo modo que os homens, e chegam, nos graus mais altos, a verdadeiras competições e autênticas demonstrações diante de espectadores. E mesmo nas formas mais singelas, dentro da vida animal, não é um mero fenômeno fisiológico ou uma reação condicionada de maneira puramente fisiológica: é uma função cheia de sentido.

Qual a natureza e a significação do jogo no plano da vida? É o que a Psicologia e a Fisiologia se esforçam por observar, descrever e explicar. Divergem os intentos de explicação. Uns definem essa função biológica como a descarga dum excesso de energia vital, outros como um impulso congênito de imitação, ou como a satisfação duma necessidade de relaxamento, ou como exercício para atividades sérias, ou como desejo de competição e domínio, ou como exercício para a aquisição de autodomínio, ou como exercício complementar ou de compensação. Outros, ainda, a consideram como descarga inocente de impulsos daninhos, ou como fenômeno de derivação pela ficção, como satisfação de desejos não logrados na realidade, etc...

Todos os intentos de explicação só parcialmente abordam o assunto. Na maioria dos casos, a qualidade primária do jogo é esquecida, e não se presta atenção às suas raízes estéticas. Em face de todas as explicações, pergunta Huizinga: "Sim, mas onde está a *graça* do jogo? Por que ri de gosto o bebê? Por que se apaixona quem joga, brinca, ou prática algum desporto? Por que motivo a luta fanatiza a multidão? Nenhuma análise biológica — diz — explica a intensidade do jogo e precisamente nesta intensidade, na capacidade de fazer perder a cabeça, encontra-se sua essência, radica o que lhe é primordial.

A realidade *jogo*, que abrange o mundo animal e o mundo humano, não se vincula a nenhum estádio de cultura. Não é possível ignorá-lo nem negá-lo.

E conhecer o jogo é conhecer o espírito. Textualmente: "Considerado do ponto de vista dum mundo determinado por puras ações de força, é, no lato sentido da palavra, alguma coisa superabundante, supérflua. Só a irrupção do espírito, que cancela a determinabilidade absoluta, possibilita a existência do jogo, tornando-o pensável e compreensível. A existência do jogo corrobora constantemente, no sentido mais alto, o caráter supralógico de nossa situação no cosmos. Os animais podem brincar e são, portanto, mais que simples coisas mecânicas. Nós brincamos e sabemos que brincamos: somos, portanto, mais que meros seres de razão, posto que o jogo ou brinquedo é irracional".

J. Huizinga chama-nos a atenção para o fato de que a consciência de estar brincando não exclui em forma alguma que o brinquedo se pratique com a maior seriedade e até com uma entrega que atinja o entusiasmo e, momentaneamente, ofusque por inteiro a designação de *pura brincadeira*. Qualquer jogo ou brinquedo pode absorver ou empolgar completamente, de tal modo que a oposição *a sério* ou *em brincadeira* oscila de contínuo.

Característico positivo: o jogo cria ordem, é ordem. Dentro do mundo imperfeito e da vida confusa, estabelece uma perfeição provisória e limitada. Exige uma ordem absoluta, porque a mínima infração o estraga e anula. *"Assim não tem graça"*, dizem as crianças quando se infringem as regras do brinquedo. As regras são obrigatórias e não permitem dúvida alguma.

O autor de *Homo ludens* toca também na *santa seriedade do jogo*. Lembra Platão, dizendo que a ação sacra é, por sua forma, um jogo. E propõe a gradação seguinte: A criança brinca com seriedade perfeita e, pode-se mesmo dizer, santa. Brinca e sabe que brinca. O desportista joga também com apaixonada seriedade, empolgado totalmente e incitado pela coragem do entusiasmo. Porém joga e sabe que está jogando. O autor entrega-se todo ao papel que representa ou *joga*. (Cf. o francês *jouer*, na acepção de representar). *Vive* o seu papel. Sabe, entretanto, que é tudo comédia. O violinista é arrebatado por uma emoção sagrada, sente-se transportado a um plano acima do habitual,quando executa a sua música, e contudo sabe que está executando ou, como se diz em muitos idiomas, *jogando*. O caráter lúdico, diz o professor de Leide, pode ser próprio da ação mais sublime. E assim — pergunta — não se poderia ir até à ação cultual e afirmar que também o sacerdote sacrificador, ao praticar seu rito, e alguém que representa ou joga? Se o admitimos para todas as religiões, — pondera então, — os conceitos de rito, magia, liturgia, sacramento e mistério entrarão, conseguintemente, no campo do conceito *jogo*.

Este conceito é investigado, sucessivamente, na linguagem, nas variadas manifestações de competição, luta e aposta, no direito, na guerra, no saber, na poesia, na figuração poética, na filosofia, na arte. Parecem-nos particularmente interessantes, como não era para menos, os capítulos referentes, assim como o que trata das culturas e das épocas *sub especieludi*. Segue-se, por fim, o que rastreia o elemento lúdico na cultura atual, sob os seus aspectos mais significativos para o caso: o desporto, a organização desportiva, o gosto do *record* nas competições, a mania do *bridge* e o papel que este jogo desempenha na vida social da atualidade, o reconhecimento da arte como um valor cultural independente e alto, a superestimação da infância e da juventude, assim como as propensões lúdicas da ciência moderna, o lúdico na política, na guerra, nas relações internacionais, na vida social, na arte moderna, etc...

A conclusão é a proposta na tese: a cultura começa no jogo. "Não surge do jogo, como um fruto vivo se desprende do seio materno, mas desenvolve-se no jogo e como jogo." Para sustentá-la, o autor jogou (é o termo) com dados culturais duma grande riqueza, assinalando, no despontar de todas as forças sociais, a presença dum fator lúdico da maior importância e eficácia. Diz mesmo que a competição lúdica, como impulso social, anterior à cultura, enchia a vida por inteiro e atuou como lêvedo das formas da cultura arcaica.

* * *

Uma das partes mais interessantes de *Homo ludens* é a que toca nas relações do jogo com a poesia. Examinando a natureza da criação poética, nota Huizinga que, "enquanto a religião, a ciência, o direito, a guerra e a política parecem perder gradualmente, nas formas altamente organizadas da sociedade, os contatos com o jogo que os estados primitivos da cultura manifestam de modo tão abundante, a poesia, nascida na esfera do jogo, nela permanece como em sua casa".

A poesia desenvolve-se num campo de espírito — campo de jogo, de brinquedo, de recreio e recriação — que o espírito cria para si próprio. Seus vínculos não são lógicos, como os da "vida corrente". Analisando o estado que Levy-Bruhl denominou "pré-lógico", pode-se chegar à conclusão de que tal estado corresponde perfeitamente à mentalidade poética. Assim é que o poeta Verhaeren disse um dia a Levy-Bruhl, depois de haver lido uma de suas obras sobre a mentalidade pré-lógica dos homens primitivos:

— Mas eu acho os seus primitivos admiráveis. Penso inteiramente como eles.

A poesia está além do, sério. Acha-se naquele recinto, mais antigo, onde moram a criança, o animal, o selvagem e o vidente: no campo do sonho, do encantamento, da embriaguez e da alegria. Para compreendê-la é preciso ter alma de criança ou mergulhar nas águas lustrais da inocência infantil. Por isso a imagem do poeta é normalmente uma imagem de moço.

Huizinga previne-nos contra a ideia de que a poesia tem unicamente uma função estética ou pode ser explicada com fundamentos exclusivamente estéticos. *"Em toda cultura florescente, viva e, sobretudo. nas culturas arcaicas, a poesia representa uma função vital, social e litúrgica. Toda poesia antiga é, ao mesmo tempo, culto, diversão, festival, jogo de sociedade, proeza artística, prova ou enigma, e ensino, persuasão, encantamento, adivinhação, profecia e competição."* Primeiramente, o poeta é o vate, isto é, possesso, cheio de Deus, um vidente frenético. Do poeta-vidente destacam-se pouco a pouco o profeta, o adivinho, o mistagogo, o poeta-artista e, também, o filósofo, o legislador, o orador, o demagogo, o sofista e o retórico.

Os velhos poetas gregos realizam, ainda, pronunciada função social: educadores e admonitores, são os guias do povo, antes que apareçam os sofistas. Na literatura nórdica antiga apresentam-se como atores sacros, como sacrificadores, ou como magos. Outras vezes, parecem ser unicamente cortesãos e oradores. Outras, bufões. E são também os que, conservando todo o saber mitológico e toda a tradição poética, competem nos discursos e nas variadas espécies de saber. Na Idade Média feudal, o jogral, o *joculator* (o que joga) é um dos sucessores do vate.

Na sua forma original como fator de cultura primitiva, a poesia é um jogo sagrado que, no entanto, se mantém, constantemente, na fronteira da alegria, da brincadeira, do divertimento. Tão primitivos como os jogos sagrados da adoração são as competições poéticas de puro engenho e virtuosismo: os jogos festivos da fanfarrice, do insulto e da zombaria, a troca de estrofes e antístrofes, o cruzar das perguntas e respostas, o golpe e contragolpe dos desafios.

Em que proporção, pergunta o autor de *Homo ludens*, se conserva a qualidade lúdica da poesia à medida que a cultura se desenvolve e complica?A proximando, como já o fizeram outros, a ideia de mito à ideia de poesia, em qualquer forma que tenha chegado até nós, diz Huizinga, o mito é sempre poesia e, como esta, vincula-se à função fabuladora do homem, surge também na esfera do jogo. Porque no jogo se acha mergulhada mais de metade da fé do selvagem, como está mergulhada no jogo a sua própria vida.

Mas o mito — transformação importante — converte-se depois em literatura; tanto vale dizer: desvincula-se da esfera de fabulação do selvagem, toma uma forma fixa e tradicional. Recordarei, de passagem, que o livro de René M. Guastalla — *Le Mythe et le Livre* — trata exatamente do que ele chama a ruptura entre dois mundos, quase inimigos: o mundo coletivo do mito, ou da religião antes da religião, próprio do poeta, mundo alegre, que quer ser enganado, e o mundo individual da literatura, ou do livro, próprio do escritor, em reação contra a cidade, ou no qual o indivíduo ignora a cidade.

Huizinga não chega a esta antinomia. Respiga tão somente o elemento lúdico nas diversas formas da poesia e sua linguagem.

Nas culturas arcaicas, a poesia tem funções amplas e vitais. Não é mera satisfação de aspirações literárias, mas o meio de expressão mais eficaz, para a sabedoria, o direito e a moral. A cultura, à medida que se desenvolve espiritualmente, torna-se dum modo geral mais séria e em muitos de seus campos parece perder todo contato com o elemento lúdico. Na poesia, entretanto, o jogo continua a manifestar-se claramente, em forma esplêndida, elevando ao mais alto grau de rigor e refinamento a sua técnica de expressão artística. Trata-se, na arte poética, dum código circunscrito de regras de jogo que se conservam e transmitem como uma nobre ciência. Essas regras, segundo uns, têm uma validez obrigatória, não podem ser alteradas. Outros, ao contrário, entendem que há nelas infinitas possibilidades de variação.

A razão da ampla uniformidade da expressão poética em todos os períodos conhecidos parece achar-se, numa parte essencial, no fato de que esta manifestação da palavra criadora tem raízes naquela função mais antiga, originária de toda a vida cultural, que é o jogo. O poeta joga com a linguagem, mas em forma artística, isto é, com símbolos e conceitos, bastante análogos aos da linguagem sagrada ou enigmática. Da competição enigmática origina-se o saber. Do certame poético surgem as belas expressões verbais. E o sagrado, o enigmático e o poético supõem um círculo de iniciados que entendem a linguagem especial de cada um.

Falar é expressar-se por imagens. Mas, enquanto a fala corrente, em razão de sua função prática, se vulgariza e gasta em cada momento, isto é, perde a eficácia imaginativa e supõe uma autonomia de aparência lógica, a linguagem poética mantém sempre, deliberadamente, o caráter figurado, permanece como jogo de imagens ordenadas em séries estilizadas, e cada imagem, nesse jogo, contém a chave dum enigma.

Aludindo à linguagem poética figurada — enigmática a *piacere*– Huizinga toca num ponto que tem suscitado muitas polêmicas em torno da poesia tradicional e da poesia nova; o hermetismo poético, a deliberada obscuridadeda lírica. E chama a atenção para os nexos que se observam entre o enigma epoesia. Recorda, a propósito, que o excessivamente claro era considerado lata técnica entre os antigos poetas escandinavos. Lembra que uma velha regra, vigente alguma vez entre os gregos, era a de que a palavra poética deve ser obscura. Mais: entre os trovadores, em cuja arte aponta, como em nenhuma outra função de jogo ou passatempo de sociedade, havia o *trobar clus*, literalmente *poetizar hermético*, cultivar a poesia de sentido oculto, como um talento especial.

Por aí se vê que o hermetismo ou o esoterismo da poesia moderna — gongorismo, mallarmeano, nerudiano — nada tem de estranho, nem de novo.

Diz J. Huizinga: *"As modernas direções líricas que, propositadamente, se movem num terreno não acessível a todos e, por dizê-lo assim, enigmatizam com palavras, permanecem fiéis à natureza da sua arte. Com um círculo estreito de leitores que compreendem sua linguagem, ou pelo menos a conhecem, constituem um grupo cultural fechado, de tipo muito antigo"*.

Aponta o fato, mas pondera que resta saber se esse círculo cultural fechado se mostra suficientemente apto para exercer a função vital própria da arte, razão de sua existência.

A DÉCIMA MUSA

Para que serve a crítica? perguntam os adversários da décima musa. Para a ociosa ocupação de discutir gostos e cores? Existe acaso coerência no campo de crítica literária ou artística? Onde estão as leis que a regem e orientam? Por pouco que se reflexione — dizem — sobre o valor dos juízos estéticos, entra pelos olhos o que há neles de versátil, incerto e arbitrário.

Olhemos para o passado. Petrarca não estimava Dante. Boileau tinha La Fontaine em pequena conta. Lope de Vega detestava Cervantes e sua obra e crê-se ter sido ele quem instigou Avellaneda a escrever a segunda parte do *D.Quixote*, vergonhosa falsificação que Lesage traduziu para o francês por julgá-la superior à parte escrita por Cervantes.

E não via Goethe no francês Béranger o primeiro poeta de seu tempo? E não equiparava Stendhal *O Renegado* do Visconde D'Arlincourt a *O Gênio do Cristianismo* de Chateaubriand? Sainte-Beuve, o patrono dos críticos franceses e o mais penetrante de todos eles, não soube compreender Stendhal, nem Balzac, nem Baudelaire, e a bem dizer, só por milagre compreendeu algum dos seus contemporâneos de maior talento. Charlotte Brontë envia versos a Southey, pedindo-lhe opinião sobre eles. Southey aconselha a futura autora de *Jane Eyre* a fazer doces e bolinhos. Para Jules Janin, chamado em seu tempo o "príncipe dos críticos", Balzac não valia George Sand como romancista, estava abaixo dum Senhor Bernard como contista, era inferior a Eugênio Sue quanto ao alcance e à agudeza da ironia e nada havia nos seus escritos que pudesse comparar-se à prosa caprichosa e alada dum Alphonse Karr. O único romancista que Taine descobriu e lançou, — romancista, a seu ver, de futuro, romancista de gênio, — foi... Heitor Malot. Victor Giraud, um dos sucessores de Brunetière na *Revue des Deux Mondes*, menosprezava Stendhal, não encontrando explicação para a extraordinária e desmesurada reputação desse pobre escritor", como dizia. Sotero dos Reis, que não era tolo, comparou desproporcionadamente a La Rochefoucauld o nosso medíocre Marquês de Maricá, Sílvio Romero subtraiu valor à obra do maior escritor brasileiro do seu tempo, Machado de Assis, para dá-la toda a seu Mestre Tobias Barreto.

Olhemos para o presente. A glória de Marcel Proust é recente e póstuma. Antes de sua morte, Proust permaneceu quase ignorado, não havendo editor que lhe quisesse as obras, desconhecidas e recusadas pelos editores mais seletos, como o da *Nouvelle Revue Française*. E note-se que nessa prestigiosa revista literária foi o crítico francês mais clarividente do momento, André Gide, quem desconheceu o merecimento do romancista de *A la recherche du temps perdu*, tendo-se penitenciado posteriormente.

Tais erros de perspectiva, comuníssimos, que é que provam? A fragilidade dos juízos estéticos e, conseguintemente, a invalidação de toda crítica? Não, porque para se apreciarem as coisas do espírito não se exige o rigor geométrico. Nem muito menos. Neste particular, não parece exagerado dizer que uma opinião vale outra, ou antes, cada opinião pode ser justa a seu modo, segundo as coordenadas pessoais ou os pontos de vista particulares. Nem poderia ser doutra maneira. Se faltam, para o conhecimento da realidade física, critérios absolutos de orientação e de referência, como não haviam de faltar para o que está além da física, para o metafísico, para o domínio da estética e a esfera do gosto?

A pluralidade de gostos e opiniões corresponde à rica diversidade das criações da arte, que é vária, múltipla e ondulante como a própria vida. Doutro modo, como explicar que nem mesmo as maiores obras-primas da humanidade consigam impor-se à admiração universal? Sabe-se, por exemplo, que Voltaire zombou de Homero e da *Bíblia*, que Mérimée achava medíocre a Baudelaire, que este não estimava Molière, nem Renan, que Goethe não compreendeu Bethoven, que Tólstoi não suportava nem Shakespeare, nem Hugo, nem Miguel Ângelo, nem Wagner, nem os grandes clássicos gregos, nem os grandes clássicos latinos. A respeito de Dostoievski, que um grupo de escritores franceses muito refinados, com o mandarim André Gide à frente, consagrou como o maior gênio do romance no século passado, não formava Tólstoi uma opinião muito lisonjeira, e neste ponto concordava com a de numerosos Russos, para os quais o autor de *Crime e castigo* não passava de um romancista de segunda ordem. Dizia Tólstoi:

"Dostoievski deveria ter-se familiarizado com as doutrinas de Confúcio e dos budistas que lhe teriam devolvido a tranquilidade. Era um homem de sangue agitado. Tinha alguma coisa de judaísmo no sangue: era desconfiado sem motivo, ambicioso, pesado, desditoso. É estranho que seja tão lido. Não compreendo porquê. Tudo nele é penoso e inútil. Todos aqueles idiotas, todos aqueles moços, Raskolnikof e os outros, não são reais; tudo é muito mais singelo na vida".

Em troca disto, o "bárbaro dos Urais" andou entusiasmado na sua juventude por Dumas pai e sobretudo por Paulo de Kock, do qual disse que era "um Dickens francês"!

Há extravagâncias de gostos famosas. Conta-se que Hegel considerava como uma das obras mais excelsas de seu tempo o desacreditado romance *Viagem de Sofia desde Memel à Saxônia*. Schopenhauer escarnecia do filósofo, com justiça, e exclamava triunfante: "Meu livro preferido é Homero; a obra de cabeceira de Hegel, a *Viagem de Sofia*". Por seu lado, também Schopenhauer glosou o texto de Tristão e Isolda, que Wagner lhe enviou, com anotações marginais das quais se deduz que não compreendeu em absoluto o poema.

Os escritores "psicólogos" franceses deslumbravam Nietzsche, que os considerava os mais penetrantes da Europa. Mas, excetuados La Rochefoucauld, Stendhal e algum outro, a escolha que Nietzsche fazia entre esses psicólogos era um tanto cômica, ao ver dos Franceses. Jules Lemaître, Gyp (!) e outros ainda deste porte pareciam maravilhosos escrutadores de almas ao pensador do *Gai Savoir*, na sua mocidade.

Que valor têm semelhantes juízos? Se os mais altos espíritos demonstram frequentemente tão discutível capacidade de julgar, onde buscar então os bons juízes?

Julgar é, de alguma forma, preferir, e em toda preferência influem mais as limitações do nosso espírito que propriamente a nossa reduzida capacidade de compreensão. Não é raro que se prefira o que todos negam e se negue o que todos preferem. Não por esnobismo, mas com inteira sinceridade. Por isso uma opinião crítica revela menos o caráter da coisa julgada que o da pessoa que julga. E principalmente subjetiva por mais que busque a objetividade. Aqui, sim, é lícito dizer-se que julgar tem o mesmo valor que ser injusto; injusto para com as preferências alheias que podem muito bem não concordar com as nossas.

Cada afirmação comporta uma afirmação contrária de igual força, diziam os céticos antigos, e da equivalência de todas as opiniões deduziam que o único a fazer era suspender todo julgamento. Segue-se que, à falta de normas uniformes de apreciação, devemos eximir-nos de avaliar, definir, classificar as produções da arte? Claro que não. Manter-se na dúvida, não julgar, é cair na apatia, na insensibilidade e na indiferença. A verdade não está na dúvida pirrônica e sim no diálogo socrático das opiniões. Da discussão dos vários modos de sentir, da oposição dos partidos, do atrito das ideias é que flui o senso do relativo e se extraem lições de sabedoria.

Certo é que em matéria de gosto cabe disputar interminavelmente, porém desde que se disputa é porque se admitem como bons a determinados pontos de vista e se rejeitam outros como maus. Quem disputa invoca razões, sem o que a discussão não teria sentido, e para as várias razões de um e outro lado podem achar-se termos de conciliação que permitam discernir a unidade na diversidade e mostrem as concordâncias através das discrepâncias. A vida estética não está abandonada à anarquia individual, como parece à primeira vista. Apesar da confusa variedade de opiniões que aparentemente prepondera tanto mais direções do gosto do público como nas teorias dos que intentam explicar as criações artísticas, há o acordo em mais de um ponto fundamental, de tal sorte que se podem inferir determinadas regras sobre o prazer, a intuição e o juízo estéticos, válidas não para todos, seguramente, mas para indivíduos de gosto relativamente igual. Neste sentido é que A. Thibaudet se referiu a certas *"correntes comuns de gosto, que podem reunir gerações muito afastadas, e cujo tipo mais completo é o que se poderia chamar a grande artéria, a grande central do gosto: a cadeia clássica do Ocidente que vai para nós de Homero a Anatole France"*. Mas essas correntes são múltiplas, dizia o crítico francês, são fragmentadas pelas raças, pelas línguas, pelas gerações. A ideia dum gosto comum aparece-nos logo como quimérica, por pouco que consideremos que há, no mínimo, o gosto ocidental e o gosto oriental, o gosto clássico e o gosto romântico, cada qual correspondendo a uma feição irredutível da natureza humana. Para tais antinomias estéticas jamais haverá crítica que ofereça soluções.

Os críticos, pela maior parte, são os primeiros a considerar com ceticismo o ministério que exercitam. Buscam a verdade, mas com desapego verdadeiramente nietzscheano, sabendo muito bem que jamais a encontrarão; isto é, cada qual busca julgar com *sua* verdade, dentro da ordem do que Pascal chamou *"vérité d'agrément et non de démonstration"*.

Na opinião de alguns, só se pode dar o nome de crítica à interpretação ou exegese das obras culminantes consagradas pelo tempo. Das obras contemporâneas não é possível fazer senão modestas crônicas literárias com prudentes apreciações que sirvam para orientar o público. Praticamente, o crítico deve ser um avisado e paciente cicerone, qualquer coisa como um esclarecido guia de museu, indispensável aos que são incapazes de juízos pessoais ou aos que deixam a outros o cuidado de sentenciar em assuntos de arte. Sem negar-lhe a utilidade, acha Benedetto Croce que a crítica que se limita a comentar e a explicar não merece exatamente o nome de crítica. Convinha, no seu entender, dar-lhe outro nome, porque a legítima e verdadeira crítica *"trata de ser, quer ser e é outra coisa: não quer invadir a arte, nem tornar a descobrir a beleza do belo e a fealdade do feio, nem fazer-se pequena e insignificante diante da arte. senão fazer-se grande diante da arte grande, sendo, em certo sentido, superior à mesma arte"*. Mas aqui, com Croce, o sentido de crítica transcende do simples julgamento que se funda unicamente no gosto, para se elevar às alturas da Filosofia ou Ciência da Arte.

O fato é que, tendo chegado por último, a crítica é hoje o complemento necessário de todas as formas literárias, que nela têm um aparelho regulador e animador de primeira ordem. Se não fossem os críticos, quem havia de guiar o leitor comum na floresta inextricável das obras que às centenas surdem de toda parte? São eles que vão colocando os postes orientadores, os letreiros explicativos, as setas indicadoras de direções. Dispensam-nos de ler o que é inútil, poupam-nos muitas tentativas infrutíferas em busca do que nos convém, fazem descobertas felizes, ensinam a ler mesmo aos leitores mais inteligentes. Dir-se-á que não é tanto assim e que são, em regra, caprichosos, arbitrários, distraídos e incompetentes, e que razão não faltou aos Goncourt de os haver chamado "fazedores de elogios de mortos", "não-produtores", "não-imaginativos", que não deram ainda nem um livro, nem um homem, nem mesmo um devotamento.

Pois sim, pois sim. São "mestres de obras feitas", ou o que se quiser. É forçoso entretanto reconhecer que a massa amorfa dos leitores não pode dispensá-los. Com eles, orienta-se mal, porém sem eles ficaria talvez completamente desorientada.

CRÍTICOS E AUTORES

Os autores falam mal dos críticos, mas não podem passar sem eles. E queixam-se (ao menos no Brasil) de que há falta deles. Querem críticos, pedem mais críticos, e isto porque (pensarão os autores) um mau crítico é melhor do que nenhum. E têm razão. Se ninguém fala de certa obra, bem ou mal, pela imprensa e nas conversas, essa obra, praticamente, é como se não existisse.

O número de críticos do *vient de paraître*, ao que é de supor, não tem aumentado na proporção do número de autores de obras novas. Poderia formular-se até, para o caso, uma lei análoga à de Malthus: a produção de obras novas tenderia a crescer segundo os termos duma progressão geométrica, ao passo que os críticos estariam aumentando apenas numa progressão aritmética.

Poucos jornais brasileiros mantêm colunas ou rodapés regulares de crítica literária. É um fato. Não por culpa dos jornais, e sim por causa deste outro fato: raros são os críticos que se aguentam muito tempo na função de apreciar livros e raros também os que se aventuram a desempenhar essa penosa e ingrata função. E ainda por cima acontece que os poucos que a desempenham, Via de regra, se ocupam quase unicamente de camaradas ou companheiros de *ismos*, ou de autores de nomes consagrados, ou então de quem tenha influência social com repercussão no meio literário. Quem não estiver em qualquer desses casos, escreva o que escrever, por melhor que seja, é quase certo que não merecerá a atenção do crítico. O talento e o mérito valem muito, mas só serão por ele reconhecidos depois de batizados e confirmados numa igrejinha e inscritos em alguma cooperativa de zabumbadas mútuas, ou depois de imposto o escritor por algumas das tretas com que se estupra a glória: situações mundanas, prêmios literários distribuídos entre amigos, propaganda, manobras comerciais dos editores e outras manigâncias.

Rareiam os críticos de atualidade, e com razão. Escrever por obrigação, com o fito de granjear algum provento, é ocupação que nada tem de sedutora. E não cremos que haja neste caso, para o jornalista literário ou escritor público, sujeição mais aborrecida e cansativa que a de fazer o comentário de livros novos nas publicações periódicas.

Camilo Castelo Branco, que foi em toda a sua laboriosa vida de escritor um trabalhador forçado da pena, teve também de se ocupar, durante algum tempo, na modesta função de comentar livros alheios. A casa editora Chardron fundara um boletim bibliográfico, colaborado largamente por Camilo, que ali apreciava as obras lançadas por aquela casa, além de outras, enviadas ao escritor. Era uma estopada a mais na existência atormentada de Camilo. Os autores são os inimigos naturais dos críticos e fingem desprezá-los, mas, onde exista algum, logo correm todos — todos — a enviar-lhe as suas produções, com dedicatórias aduladoras. Queixando-se da maçada que lhe davam, escrevia Camilo do seu retiro de São Miguel de Sei de ao editor Chardron:

"Desde que demos vida à Bibliografia, chovem aqui livros e "librecos", que é uma praga de Portugal, para não dizer do Egito. Os escritores entendem que eu tenho em Seide moinho de críticas. Parece-me que me vejo obrigado a dar em todos, para que me deixem com o meu reumatismo".

Isso dizia o romancista português numa época em que apareciam menos livros do que hoje e com referência a um país de produção literária de valor, mas relativamente pequena. Ainda assim, para moê-la toda, o crítico teria de se transformar em moinho. Os autores não cuidam de saber como se sentem os críticos sob a massa de livros que continuamente despejam sobre eles. Cada qual só pensa na sua obrinha. É tão leve, tão fácil de ler! E tão mais interessante que as outras!

No Brasil, então, os críticos literários — que como tais só se devem ocupar propriamente com as obras de sua competência — costumam receber livros de todas as espécies, Medicina, Teologia, Pedagogia, Engenharia, artes em geral, Estatística, Ciências Aplicadas, Ocultismo, Teosofia, etc., etc., como se o crítico fosse um Pico de la Mirambola que tivesse a obrigação de falar de todas as coisas que se podem saber e algumas mais.

Mesmo que não saia do campo puramente literário e restrinja sua atividade, especializando-se na ficção, na poesia, no ensaio ou no teatro, ver-se-á transformado, por força das coisas, se não reagir, em *moinho de críticas*, dado o volume sempre crescente de obras oferecidas ao seu exame e comentário.

Nos países de intensa produção literária, não basta ser moinho, é forçoso ser *usina*. Imagine-se a tarefa dum crítico de romances, só de romances: num país como a Inglaterra, em que aparecem — ou apareciam, antes da guerra, — a todos os anos, de quatro a cinco mil, publicados pela primeira vez! Claro que isso não é tarefa para um só homem, mas para uma multidão.

Nos Estados Unidos, ao que se sabe, todo bom jornal tem um crítico literário com uma coluna a sua disposição, que lhe compete encher. Todos os dias o crítico é obrigado a comentar um livro, pelo menos. Para isso naturalmente, terá de ler um livro todo o santo dia, um livro quando nada! Um crítico literário de Nova York discriminava assim o seu dia de trabalho: diariamente, seis horas de leitura e duas horas de redação.

— Que valor pode ter essa crítica expeditiva e sumária, produzida a jato contínuo?

— Não tem nenhum, sustentava há tempos a finada escritora inglesa Virginia Woolf, que, além de romancista, ensaísta e crítica literária, tinha também autoridade como editora, pois havia fundado, com seu marido Leonard Woolf, igualmente escritor, a casa impressora Hogarth Press.

Num panfleto intitulado *Reviewing*, Virginia Woolf escreveu severo requisitório contra os que analisam obras literárias de atualidade nos jornais e revistas. *"Tem o crítico de literatura imaginativa"*, perguntava a escritora, *"qualquer valor na época presente?"* Sua resposta era categórica: *"Não!"*

Pelos modos, o libelo acusatório isentou o crítico de História, Política e Economia, limitando-se ao crítico de poesia, drama e ficção. Virginia Woolf principiava por evocar o passado, lembrando os bons tempos em que a crítica significava realmente alguma coisa. Hoje em dia, ao contrário, via a multiplicidade de críticas desencontradas, algumas das quais erguem um livro às cornetas da lua, sagrando-o como obra-prima, enquanto outras o deitam ao lixo, considerando-o uma pinoia. Tal versatilidade de juízos tira-lhes todo méritoperante os autores e o público.

Agora que se publicam, aqui e ali, sessenta comentários críticos sobre determinada obra, quando no século passado se publicariam apenas uns seis, não é possível formar uma opinião a respeito de tal ou tal obra, por entre a confusão de tão contraditórias opiniões. E o pior de tudo, segundo o entendia aquela romancista inglesa, é que os atuais comentários críticos são em tal forma breves e apressados, que o comentarista não se pode ocupar adequadamente das obras enviadas para a sua análise. A conclusão a que ela chegava era a de que deviam abolir-se, como dever público. Como? Por meio de alguma lei parlamentar? Não seria preciso chegar lá. A abolição viria naturalmente, em consequência das tendências por ela deploradas.

Correndo em defesa dos perseguidos em justiça por aquela escritora, um colaborador do *The New Stateman*, Robert Lynd, observou que, enquanto existirem pessoas que gostem de livros, não haverá possibilidades de se abolirem na imprensa os comentários e informes bibliográficos, da mesma forma que não se poderá deixar de noticiar e comentar esportes num mundo que os aprecia. Na rubrica das obras novas, como na das cotações da bolsa, ou na do cinema, tudo são notícias. Há isto de comum entre a página literária e a página financeira: o propósito de ambas é não só prover o leitor de informações, como também o de oferecer-lhe comentários ou opiniões. Em qualquer dos casos, encontra-se a mesma multiplicidade e diversidade de juízos.

Dissentindo inteiramente da ideia de que, em razão de seu número e do desacordo de opiniões, os críticos de hoje não sirvam de orientadores literários, Robert Lynd notou muito bem que o leitor que busca orientar-se não lê, na realidade, sessenta ou setenta críticos, nem muito menos. Confia, isto sim, no gosto de algum crítico de sua preferência, porque chegou a verificar, por experiência, que a opinião dele concorda usualmente com a sua própria, e só deixa de o seguir quando se capacita de que já não é o guia capaz, honesto e desapaixonado de que precisa.

Discordou também da romancista quando esta censurou os críticos atuais por causa da brevidade e velocidade com que julgam e escrevem. Ora, disse Lynd, há críticos que podem comprimir maior quantidade de boa crítica num parágrafo do que outros num artigo inteiro, e, bem apuradas as contas, os juízos literários dos apressurados comentaristas modernos valem tanto como os dos pachorrentos da época da Rainha Vitória. Não o perturbava a predição do próximo desaparecimento da raça dos aristarcos. A Senhora Woolf, dizia Robert Lynd, em conclusão, escrevera um encantador epitáfio, mas esse epitáfio fora inscrito sobre um cenotáfio. Por baixo dele não jazia nenhum corpo.

Os autores pedem críticos. Os leitores, também. Querem-se notícias, impressões, opiniões sobre o que aparece nas livrarias. São incertas, vagas e contraditórias essas notícias? São apaixonadas, tendenciosas, apressadas, levianas? Não importa. Autores e leitores pedem críticos, mesmo sabendo que a crítica de atualidade poucas vezes julga com segurança e bom critério e mesmo não ignorando que, quando se trata de julgar os contemporâneos, os erros de perspectiva dos críticos são mais frequentes que os seus acertos.

É que a crítica não é nada fácil ao contrário do que se costuma dizer. É também uma arte, e, portanto, difícil: arte de ler bem e de ensinar os outros a ler convenientemente os autores dignos de leitura. A crítica superior, a crítica interpretativa, criadora ou recriadora de valores, descobre com lucidez o canto poético ou a riqueza emocional que se expressa numa obra, capta a sua específica beleza formal, examina a necessidade interna da sua composição, surpreende a visão do mundo própria do autor e até mesmo formula o que ele deixou informulado, mas pode extrair-se da sua mensagem. Não raramente, o crítico encontra nas obras aquilo que os autores não imaginaram ter deixado nelas. Em conversa com Walt Disney, o escritor inglês Aldous Huxley elogiou a filosofia do Camundongo Mickey, e perguntou como o artista chegara àquelas finas sutilezas. Disney respondeu: *"Nós fazemos os bonecos para divertir. Depois vêm os doutos e dizem o que eles significam"*.

Eis aí a função dos doutos ou, dá na mesma, dos críticos: revelar o sentido sutil que porventura se oculte nas criações artísticas realizadas com inocência. A crítica, assim entendida, sempre foi rara e difícil, e com razão Oscar Wilde a colocou no cimo das artes, considerando-a como criação autônoma. Os grandes críticos literários são tão raros e admiráveis como os grandes criadores literários. Só houve um Herder na literatura alemã, um Sainte-Beuve na francesa, uma Croce na italiana, um Menéndez Pelayo na espanhola, um Mathew Arnold na inglesa, um Bielinsky na russa.

Pedem-se críticos, mais críticos, embora não se exija nenhum Sainte-Beuve. Para a comum literatura servem os críticos comuns, contanto que não sejam muito broncos. A tagarelice literária tem inúmeros apreciadores, nos seus vários gêneros, figurando entre os mais apreciados a crítica de atualidade. Esta, paradoxalmente, conta até com leitores que preferem ler comentários críticos a conhecer as obras ou os autores criticados. E fazem bem, em numerosíssimos casos.

AS MULHERES E A TAGARELICE LITERÁRIA

O Instituto Gallup, dos Estados Unidos, realizou naquele país uma investigação para saber quais eram os principais defeitos que maridos e mulheres imputam uns aos outros. Entre os defeitos mais apontados pelos maridos a suas companheiras estavam as intrigas e as tagarelices. *"Não dão folga à língua"*, diziam uns. E outros alegavam: *"Falam demais pelo telefone. As histórias que contam sobre as amigas são de arrepiar os cabelos"*. Ou ainda: *"Minha mulher tem o verdadeiro dom de deturpar o que as pessoas dizem"*. Por fim, alguém emitiu esta opinião, que decorria logicamente de todas as outras: *"As mulheres deviam ser melhores escritores que os homens, pois vivem contando histórias o dia inteiro"*.

Quem formulou esta última opinião pôs o dedo na verdadeira causa da vocação feminina para a literatura e, particularmente, para a arte de contar histórias: a tagarelice, ou o gosto de fabular (*fala* vem de *fábula*), o amor aos enredos e o talento de pigmentar os casos cotidianos com o colorido da mentira e da invenção, tudo isso pertence à dinâmica da arte literária.

Porque o fato é que não só está aumentando o número das mulheres que amam a leitura — nos países bem-alfabetizados, é claro, — mas também o daquelas que escrevem para o público. Ninguém se admira, hoje, de que a mulher escreva e tome parte ativa na vida literária. Mas nem sempre foi assim. No tempo de nossos avós, o trato das letras era ocupação que muitos consideravam incompatível com a feminilidade. Satirizava-se a mulher com presunção de literata; era a bacharela, a doutora, a *bas bleu*, a preciosa ridícula. As poucas mulheres escritoras eram tidas, não raro, como viragos, como ridículas marimachos, ou como vampiresas erotomaníacas, perigosas chupadoras de jovens corações.

Na boca de certo maldizente de espírito, a mulher que se entregava às letras cometia dois enganos: aumentava o número dos maus livros e diminuía o número das mulheres. Epigramas como este, e mais ulcerantes que este escorriam abundantemente do bico da pena dos satíricos e flageladores. Alphonse Karr, Heine, Baudelaire, cem outros, desfrutaram com *boutades* famosas a fauna literária feminina. Misógino como seu mestre Schopenhauer, Frederico Nietzsche não aguentava as literatas, tendo-as crivado de duros sarcasmos, a principiar da mais famosa escritora de seu século, George Sand, "essa terrível vaca leiteira da literatura", como a apodou escarninhamente.

Reflexo de tais prevenções é a muito conhecida facécia do João da Ega, o irônico personagem de Eça de Queirós. Quando alguém no jantar dos Gouvarinhos, opina que uma senhora, especialmente se ainda é nova, deve ter algumas prendas do espírito, o grande trocista salta com este impiedoso remoque: *"Uma mulher com prendas, sobretudo com prendas literárias, sabendo dizer coisas sobre o Sr. Thiers ou sobre o Sr. Zola, é um monstro, um fenômeno que cumpre recolher a uma companhia de cavalinhos, como se soubesse trabalhar nas argolas... A mulher só deve ter duas prendas: cozinhar bem e amar bem,"* Para o João da Ega, como para La Fontaine, epítome da maliciosa sabedoria popular, a função da mulher estava toda no assegurar ao homem, pelo tempo que a este conviesse,

... Bon souper, bon gî te et le reste.

Era geral e corrente o preconceito de que a literatura só podia ser o refúgio das mulheres feias, das solteironas e mais desenganadas do amor e do casamento. *Poetisa y fea todo es la misma pieza*, diz um brocardo espanhol. Esse brocardo deve ter equivalentes em outras línguas, tanto é universal a ideia que nele se encerra. Quer dizer talvez que a mulher feia busca na arte uma compensação. Triste compensação, em verdade, uma vez que a primeira virtude que se exige da mulher é que seja bela; para regalo do homem, já se vê. A mulher formosa não precisa de fazer poesia, porque a maior e mais sublime poesia está contida na harmonia de suas formas e no ritmo de seus movimentos.*"Sois belle et tais-toi"*, aconselhava o poeta à bem-amada. Não é tudo o que se deve pedir à mulher? À mulher amada, à amante, talvez sim. Mas o mundo feminino, não é só o do amor sensual, como também não o é o mundo masculino.

Sempre existiram mulheres escritoras, mas como casos excepcionais, como acidentes isolados, individuais. Isto no passado. Agora, porém, é diferente.A literatura feminina, como a vemos hoje, aberta largamente aos talentos e saudada liberalmente por todos os bons espíritos, é um fato social novo que se prende à emancipação progressiva da mulher. Ela não só invadiu profissões até a pouco reservadas ao homem, como conquistou sólidas trincheiras na literatura. Aos poucos foram vencidas todas as resistências, e já agora não há lugar para as chufas e as zombarias. Não eram só pilhérias. A crescente participação das mulheres na vida literária preocupou a atenção de graves críticos e historiadores das letras. O mais considerável de todos eles, Benedetto Croce, achava que a razão de tal fato devia buscar-se no caráter de confissão, ou lirismo subjetivo, ou extravasão da alma, que adotou a literatura contemporânea. Abrir o coração, derramar no papel as próprias aventuras ou desventuras sentimentais, agrada sobremodo às mulheres, sem que lhes dê o menor cuidado o estilo, asseverava o crítico italiano, "por aquilo que já se disse sutilmente: *Le Style ce n'est pas la femme*". Se as mulheres têm carta de cidadania na literatura contemporânea, acrescentava Croce, é porque os homens se efeminaram um pouco, esteticamente. Sinal de feminidade, a seu ver, *"é a escassez de pudor que lhes permite expor ao ar livre as suas próprias misérias e esse frenesi de sinceridade que por ser frenesi não é sinceridade, senão ficção habilíssima que procura ganhar confiança com o cinismo, disto oferecendo magnífico exemplo o próprio Rousseau"*.

Culpa do romantismo da nossa época, dirá o Charles Maurras *de L'Avenir de l'Intélligence* na sua objurgatória contra a vitoriosa literatura feminina; culpa do romantismo, que na obra de arte dá primazia à sensibilidade sobre a inteligência, coloca o coração acima da razão e ouve mais o inconsciente que o consciente. É a mesma tese anti-romântica de Croce.

Não cabe aqui indagar se o privilégio da sensibilidade é um mal ou um bem. O mais que se pode dizer é que o romantismo é alguma coisa que continua, como fenômeno literário e artístico, ou, mais ainda, como fenômeno totalitário da cultura. Não é por demais sabido que a literatura triunfante em nosso tempo rebaixa o papel da inteligência como faculdade criadora, e atribui à sensibilidade as mais altas faculdades do espírito?

Não vamos indagar se é o romantismo o principal responsável pela feminização das letras. Contentamo-nos com uma explicação mais simples. O domínio do escritor é a palavra. Sem exagerar muito, pode-se dizer que noventa e nove vírgula nove por cento do que se escreve no mundo é pura tagarelice. Como não reconhecer que as mulheres neste ponto levam vantagem à maioria dos homens?

Reconheça-se ou não, o certo é que elas invadiram todos os domínios das belas letras, dispostas a cultivá-las intensamente.

No começo do século, Remy de Gourmont observou que a mulher ia tomando aos poucos, na literatura francesa, o lugar preponderante. *"São as mulheres que, hoje em dia, têm mais talento; elas tendem a ocupar o primeiro lugar, mesmo em poesia"*. E citava os nomes de Heléne Picard, Madame de Régnier, RenéeVivien, Laurent Evrard, Judith Claudel, Madame de Noailles. A seguir, outra riquíssima floração de escritoras: Colette, Rachilde, Marcelle Tinayre, Madame Delarue-Mardrus, Gérard d'Houville, Germaine Beaumont...

Não contentes de competir com os homens na carreira das letras, as mulheres ainda lhes arrebatam, não raramente, os melhores prêmios literários cinco vezes, o mais prestigioso e cobiçado de todos eles, o Prêmio Nobel, galardoou nomes femininos. Coube o primeiro à romancista sueca Selma Lagerloff. O segundo tocou também a uma romancista escandinava, a norueguesa Sigrid Unset. Grazia Deledda, um dos grandes nomes do romance italiano, conquistou o terceiro. A norte-americana Pearl Buck recebeu o quarto, e, por último, coroou o quinto a grande voz lírica feminina da América Espanhola, Gabriela Mistral.

Em nenhuma outra parte ocupam as mulheres que escrevem um lugar tão importante como na Inglaterra. A fama das grandes escritoras inglesas do século passado difundiu-se pelo mundo todo e ainda perdura. Ainda hoje se leem os romances de Jane Austen, das irmãs Brontë, de George Eliot, nomes que emparelharam em seu tempo com os dos autores masculinos da primeira fila.

Em nossos dias, acham-se nas letras de língua inglesa não poucas mulheres de excepcional talento: Rosamond Lehmann, Sheila

Kaysé Smith, Katherine Mansfield (morta prematuramente), Virginia Woolf (que se suicidou em 1942, aos sessenta anos de idade), Rose Macaulay, Dorothy Richardson, Clemence Dane, Alice Meynell e, por lembrarmos só mais um nome, a vanguardista Edith Sitwell, co-fundadora do "sitwellismo" em arte, com Osbert e Sachaverell Sitwell.

É muito provável, entretanto, que mesmo na Inglaterra não apareçam tantos livros de mulheres como nos Estados Unidos. Lá é que, verdadeiramente, se encontra a Terra da Promissão da garrulice feminina escrita. Gertrudes Stein, romancista e poeta, influi na literatura norte-americana como um grande espírito revolucionário. Antes da última guerra, vivia na Europa, onde a consideravam como a escritora que exprimia em forma mais autentica a alma de seu país e era tida igualmente como um dos chefes de fila do movimento vanguardista europeu. Durante muito, essa escritora só escreveu para si mesma, pois os seus manuscritos eram rejeitados invariavelmente pelos editores. Ela própria fazia, às vezes, imprimir algum de seus livros e publicava em pequenas revistas literárias poemas que os moços e os letrados superfinos estimavam muito, e graças a esses poemas alcançou ela a celebridade. O apreço às questões de arte, o amor a forma e ao estilo, tudo combinado como a feição original de seu espírito, valeram-lhe o qualificativo de Boileau de seu país e de sua época.

Pululam principalmente nos Estados Unidos as ficcionistas de grande público, representantes bem qualificadas duma literatura de pacotilha, produzida em série, para satisfazer a pouco exigente mentalidade média, literatura que tem seus padrões perfeitos no *Saturday Evening Post* e no *Ladies Home Journal*.

É talvez, porém, no campo da poesia que as letras do Novo Mundo são particularmente notáveis. Desde Leonor de Ovando e Anne Dulley Bradstreet, que de nomes inesquecíveis não enchem a história literária! O maior poeta do período colonial espanhol é a monja Juana Inés de la Cruz, a *Décima Musa.* Emily Dickinson — um "Blake feminino", como a chamaram — representa boje, na opinião da mais recente crítica, o que há de mais alto na poesia norte-americana do passado século. E as uruguaias Delmira Agustini, Maria Eugênia Vaz Ferreira e Juana de Ibarbourou, junto com a argentina Alfonsina Stornie a chilena Gabriela Mistral compõem o admirável coro das grandes vozes líricas femininas da América Hispana.

É certo que os homens são ainda os melhores poetas, os melhores ensaístas, os melhores narradores. Mas também não se contesta que as escritoras tomam muito ao sério a sua arte, e não é improvável que os nomes literários mais importantes do futuro pertençam ao sexo fraco. Uma coisa já é certa: nos Estados Unidos, e em outras partes onde se lê muito, as mulheres leem mais que os homens. E o gosto de ler prende-se naturalmente ao gosto de escrever.

Ora bem. E nos Estados Unidos que se estão forjando os moldes da vida moderna. Quem nos diz que, num futuro próximo, não será deixada exclusivamente às mulheres toda atividade literária? Aos homens incumbiriam tarefas mais sérias, mais árduas, mais construtivas. Se tal vier a suceder, o homem que nessa época porvindoura fizer literatura, será encarado certamente como um exemplar de humanidade retardada. Compor versos parecerá então ocupação tão ridícula e tão pouco varonil como nos parece hoje o bordar almofadas ou fazer croche.

Mas o leitor, provavelmente, achará esta opinião demasiado conjetural e arriscada. E terá razão.

ARTE, SEXUALIDADE E AMOR

O homem se agita sob o ferrão do desejo, da *libido*, como se diz em linguagem freudiana. O desejo de sentir, o desejo de possuir, o desejo de dominar, são os excitantes mais poderosos das ações humanas. A todos se assinala um propulsor comum, uma única fonte geradora de energia: a sexualidade, que na sua mais larga significação se aproxima da ideia platônica do Eros.

A vocação estética, que tem raízes profundas na vida instintiva, encontra seu mais forte estímulo na insatisfação afetiva do indivíduo. A alma do artista está repleta de aspirações, anseios, tendências várias e contraditórias, que ele não logra satisfazer na vida prática. Há nele um anelo de plenitude, impossível de alcançar, que o excita e agita. Esta impossibilidade, que no homem vulgar seria um sintoma de fraqueza, torna-se, no artista, a razão da sua superioridade, pois que o induz a buscar satisfação dentro de si mesmo, a viver imaginativamente, a criar fora do real. É a sublimação compensadora, como dizem os psicanalistas.

A ideia da insatisfação do artista diante da vida, encontra-se resumida admiravelmente neste pensamento de Jean Dolent: "A vida: a mulher que possuímos; a arte: a mulher que desejamos". Glosando-o, Remy de Gourmont acrescentou: "Eis porque a arte é o que há de melhor na vida". Arte e vida têm aí figura de mulher. É uma comparação que logo ocorre ao espírito, tanto a ideia de sexo anda naturalmente associada às outras duas.

A Freud parece indiscutível que o belo artístico tem raízes na excitação sexual: originariamente, designaria o que excita os sentidos. Esta ideia já estava em Stendhal, quando dizia que "a beleza é uma promessa de felicidade"; de felicidade sexual, evidentemente.

Está entendido que arte e sexo, arte e amor, são termos inseparáveis. E se é exato que toda criação artística tem uma raiz sexual, também se pode ter como certo que a arte gerou o amor nas suas formas apuradas, o amor-ternura, o amor-delicadeza. Ao homem imaginativo, ao artista, ao poeta, devem-se aliás os mais altos valores sentimentais, os produtos mais refinados da vida civilizada.

Uma vez que o amor é o tema principal da arte, admite-se facilmente que os artistas sejam grandes amorosos. Grandes amorosos como Don Juan ou Casanova? Nada disso. Grandes amorosos de si mesmo, como o Narciso da Fábula; grandes amorosos do Amor; grandes amorosos de sua própria arte. Isto sim. Sem dúvida, no terreno prático, a vida amorosa do artista é como a de qualquer mortal. Só que no artista há uma insatisfação permanente e a sua existência não é mais que um longo desejo de amor. A força desse desejo é o mordente de toda atividade artística.

Pode dar-se mesmo a dissociação do amor e do desejo sensual. Neste caso o devaneio erótico não se desenvolve na direção do sexo oposto, porém se opera dentro do próprio indivíduo. De tal regressão auto-sexual nos oferece perfeita ideia André Gide em *Si legrain ne meurt...*

Mesmo quando apresenta uma vida sexual de orientação normal, mesmo quando pode obter da existência a satisfação de todos os desejos, como diz o Doutor A. Hesnard no seu estudo sobre a psicologia do narcisismo, é raro que o artista se abandone a todas as satisfações que lhe são oferecidas. "Sensual, guardará continência; apaixonado, evitará as mulheres que lhe inspirariam uma paixão demasiado profunda e sobretudo demasiado escravizante (porque receia acima de tudo, na sexualidade, a dominação de outrem). Habitualmente mesmo, afora algumas expansões da mocidade ou de exceção, é casto por uma espécie de economia vital."

Miguel Ângelo viveu longe das mulheres, rodeado quase exclusivamente duma sociedade masculina. Apaixonado de beleza antiga, negou o amor terrestre, como bom discípulo de Platão. Frio, reservado, solitário, só aos cinquenta e oito anos lhe nasceu um afeto no coração. Amor duma mulher? Não. A amizade dum belo rapaz. Seus sonetos e madrigais, animados de espírito pagão, foram compostos em intenção de moços de suas relações. Andava na casa dos sessenta o grande pintor da Capela Sixtina, quando amou, dum amor ardente mas todo espiritual, a primeira mulher, Vittoria Colonna, já quinquagenária. Releva considerar que a famosa dama romana, poetisa de talento, inteligência de escol, nunca fora bela e apresentava no físico como no moral mais de um traço virilóide.

Sabe-se que Balzac teve uma vida quase pura, só se dissipando largamente no trabalho. Sóbrio a todos os respeitos, temeu sempre a desordem como a morte do talento e amou as mulheres mais pelo lado do coração e da inteligência. Mesmo na mocidade, refere George Sand nas linhas que escreveu a propósito do casamento do grande romancista, mesmo na mocidade a Balzac "foi a dum anacoreta, e, embora houvesse escrito muitas frascarices e passasse por entendido em assuntos de galantaria, tendo feito a *Fisiologia do casamento e os Contos brejeiros*, era bem menos rabelaisiano que beneditino".

Flaubert, que como Balzac tinha muito de casto e só por curiosidade buscava o outro sexo, Flaubert foi um perfeito asceta. Um dos críticos mais recentes chegou mesmo a recomendá-lo como tal à adoração dos fiéis católicos. Embora não inspirados na moral da Igreja, os preceitos e os métodos que adotou em vida eram os mesmos dos santos eremitas. Sua aventura sentimental com Louise Collet não lhe deu o gosto, senão o desgosto do amor, confirmando-o na ideia de que a Arte é a Beatitude absoluta. Flaubert foi o grande Santo Antônio da religião da obra bem-acabada. As torturas que voluntariamente padeceu neste mundo, em busca duma ilusória perfeição literária, não estão a inculcar-nos que os mesmos meios que asseguram a conquista do céu são os que permitem o acabamento duma grande obra de arte?

Entre o cérebro e a matriz parece que não há nenhuma afinidade eletiva. Por isso, talvez, é tão rara a união harmoniosa entre o homem de inteligência superior e a mulher de raça. Conta-se que o utopista Saint-Simon, um dos homens mais estupendos do século passado, tendo lido uma obra de Madame de Staël, foi levado a divorciar-se da mulher com quem se casara havia apenas um ano. Isto feito, correu à presença da ilustre escritora e lhe disse: "Minha senhora, sois a mulher mais extraordinária do mundo como eu sou o homem mais extraordinário. Nós dois faremos sem dúvida um filho ainda mais extraordinário". Não achando a coisa possível, Madame de Staël recusou.

Em mais de um grande espírito – num Sainte-Beuve, entre outros, e no mesmo Goethe descobriu-se o *complexo anciliar*, essa forma de timidez que afasta o homem da presença das mulheres mais dignas de seu amor, para lançá-lo às conquistas plebeias e às ligações desiguais. Não falta, entretanto, quem explique de outra maneira os numerosos exemplos de homens superiores pela posição social e pela inteligência que se unem a mulheres de pouca educação e humilde origem. A razão de tais uniões deverá buscar-se na sedução que os encantos específicos e originais da mulher exercem no homem de natureza sã. Para estes, as principais qualidades femininas são a graça ingênua, humor, a meiguice e a dedicação. Não são estas precisamente as qualidades que fazem a boa esposa, a boa dona-de-casa, a boa mãe de família? As mulheres sabichonas, com fumaças de literatura, são quase sempre insuportáveis. As ignorantes e simples, ao contrário disso, são repousantes.

Não, os grandes amorosos dificilmente se encontram entre os artistas, os poetas, os literatos, entre a gente fantasista que inventou o amor. Cantar Lauras ideais, inatingíveis, é da essência dos poetas. São arrebatamentos líricos que nada têm que ver com os problemas práticos da vida, nem, por conseguinte, com as experiências eróticas, com o empirismo do amor. Uma coisa é a poesia e outra a realidade. Poesia é o nosso querido poeta B. Lopes celebrando nos seus versos as figuras aristocráticas, brasonadas, de duquesas, marquesas e damas fidalgas. Realidade é o mesmo B. Lopes — agora o cidadão Bernardino da Costa Lopes — humilde empregado postal, boêmio impecunioso, incorrigível sonhador acordado. A realidade é Baudelaire tendo como amante uma mulata beberrona e meio analfabeta, que mesmo assim o desprezava porque em toda a sua vida de grande poeta só ganhara mil e duzentos francos. A realidade é Heine casado com uma vulgar costureirinha francesa, decerto bonita, mas que lhe infernou a vida durante vinte e cinco anos de matrimônio. "Gosto de Heine um pouco mais que do meu gato e um pouco menos que do meu papagaio", dizia ela referindo-se à trindade dos seus afetos domésticos. Do próprio Chateaubriand, que deixou fama de grande sedutor, houve quem o declarasse "um amoroso sem perigo para a virtude". Estava sempre rodeado de mulheres. Isto é verdade, de tal forma que a Senhora Chateaubriand dizia: — "Quando ele não puder andar, elas lhe oferecerão as muletas". Ainda aos setenta e dois anos inspirara paixão a uma jovem de dezessete, cujas cartas, publicadas pela família dela, cinquenta anos depois de sua morte, revelaram que a explosão sentimental da mocinha era toda espiritual e inocente. — "*Un grands candale de pireté*!" exclamaram então, desapontados, os que esperavam revelações escabrosas, sensacionais.

Houve poetas, entretanto, que gozaram de enorme prestígio entre as mulheres e foram amados de verdade por muitas: Lamartine, por exemplo, único talvez — disse Bourget — que acumulou uma existência de homem de amor, homem de pensamentos e homem de ação. Ramón de Campoamor foi toda a sua vida um grande pirata do amor, um grande preador de mulheres e, provavelmente por isso mesmo, o poeta idolatrado por elas. Camões, que "em vária chama variamente ardia", amou toda espécie de mulheres, sem olhar a cor, idade, estado ou condição. Amou-as a todas, sem excluir a escura Bárbara das endechas muito conhecidas:

> Aquela cativa,
> que me tem cativo...

Com a robusta apetência e a ternura equânime do português de *condição namorada*, glutão de carinhos femininos, cantou exaltadamente, nuns versos belíssimos, a novidade e a superioridade da amante de pele fusca:

> Pretidão de amor!
> Tão doce a figura,
> que a neve lhe jura
> que trocara a cor.

Se bem que mais tarde, na época própria dos arrependimentos, fizesse ato de contrição no soneto que começa:

> Com laço indecoroso vivi atado...

Diz-se que nos poetas o próprio amor é literatura. Só nos poetas? Os homens em geral, superiores ou inferiores, artistas ou filisteus, arrastam uma existência medíocre em atos e em emoções sentimentais. O amor, o verdadeiro, o que não se confunde com as comuns experiências sexuais, é extremamente raro; tão raro que segundo muitos não existe: é invenção literária, criação da mente, e tanto assim que a gente moça, em geral, ama, ou crê amar, como se ama nos romances e nas fitas. E agora, com a última geração, nem isso.

AS RAZÕES DA ARTE

Já foi notado muitas vezes o caráter de confissão que apresenta a literatura da época moderna, ao contrário do que sucedia com a da antiguidade clássica, que era impessoal e só se ocupava do universal para toda a eternidade. Esse caráter marcadamente confidencial, autobiográfico, acentua-se depois das *Confissões* de Rousseau e com o advento do romantismo. Blasonando de sinceros, os escritores românticos procuram refratar-se nas obras através de ligeiras transposições imaginativas. "Não se pinta bem senão o próprio coração atribuindo-o a outros", dirá Chateaubriand que se pintou tanto em Eudoro como em Renato.

Se todo livro encerra uma confissão, franca ou disfarçada, é o próprio escritor quem nos há de fornecer a chave de sua obra. Reciprocamente, toda obra literária deve refletir o espírito que a concebeu, podendo por isso ser considerada de algum modo como uma etopeia, um retrato moral do autor. Tal árvore, tal fruto. Foi esta a genial intuição de Sainte-Beuve que o induziu a fundar a crítica psicológica, ou "fisiologia moral", como ele dizia. Sua ambição era fazer História Literária como se faz História Natural, observando e colecionando famílias de espíritos.

A teoria da identidade entre o corpo e o espírito pode ser exata, no fundo; na forma, isto é, na aplicação prática, os seus resultados são quase sempre incongruentes e raro concordam como que dela se espera. Que existam relações entre a obra e o seu criador, admite-se de boa mente; mas, como surpreendê-las? Para se penetrar a complexidade dessas relações era preciso, primeiro, analisar e definir o caráter do autor. Eis aí a dificuldade maior. A personalidade humana é um mundo fechado a qualquer tentativa de conhecimento. Cada indivíduo não é um só para os diferentes observadores e segundo os diversos meios em que se move; cada um de nós é ao mesmo tempo, dito em linguagem pirandeliana, *"uno nessuno centomila"*.

Percebendo a dificuldade, Sainte-Beuve verificou que em muitos casos particulares a imagem dum autor revelada pela sua obra não coincidia com a imagem que se podia tirar duma observação direta do indivíduo. Viu, mesmo, que o caso geral era a discordância entre a personalidade criadora e a personalidade da vida corrente. Não era Bernardin de Saint-Pierre, autor dessa obra-prima de pureza que é *Paulo e Virgínia*, um homem duro, mau, e mais medíocre de espírito que de caráter? E como se haviam de conciliar os amores fáceis e prosaicos da juventude de Lamartine com os amores imateriais do suspiroso cantor de Elvira? E Chateaubriand, que o crítico-moralista admirava sem reservas, era sincero ou não passava dum grande ator, que buscava apenas, como todos os grandes atores, impressionar o público com o seu talento? Não era certo que ocultava, sob aparências apaixonadas e românticas, um caráter frio, timorato, incapaz de expansões cordiais? Como estes, muitíssimos outros. O que tudo dava ocasião a Sainte-Beuve de lastimar que o senso da verdade faltasse tantas vezes nos homens em que predomina o talento. Nalguns, a completa despreocupação de sinceridade parecia-lhe uma verdadeira corrupção. Farsantes! concluía, aferrado à sua ideia de identificar o homem e a obra. E, acaso, não estava ele próprio — egoísta, sem bondade, fechado aos sentimentos afetivos — em conflito permanente com a sua paixão da verdade moral?

Perene contradição entre a vida vivida e a vida sonhada: as obras literárias estão frequentemente em desacordo com o que o autor é na realidade. Os homens de ação vivem a vida intensamente. Os homens de ficção criam imaginativamente a vida que não saberiam ou não poderiam viver. Pierre Benoit descreveu com perfeito realismo, em *Koenigsmark* e na *Atlântida*, uma pequena corte alemã e o misterioso país de Antineia, sem ter posto os pés na Alemanha nem nas terras dos Tuaregues. Gastão Cruls, antes de escrever *A Amazônia que eu vi*, contou as *bem observadas* e as *vívidas* histórias da *Amazônia misteriosa*, tiradas da imaginação.

Sarmiento pintou os Pampas argentinos antes de vê-los, por informações de arrieiros e militares, com adivinhação genial, e descreveu-os com paixão de beduíno. Na sua fulgurante rapsódia de Facundo Quiroga deixou descrições homéricas de coisas que jamais vira e de homens que não conhecera. Stendhal burguês pacato e obscuro, feio, constrangido diante dos homens, diante do amor, diante da vida, molda em bronze o herói de seus sonhos: o apaixonado Julien Sorel, belo, cínico, amoral, adorado das mulheres, dominador e desprezador dos homens. Nervoso, abúlico, enfermiço, Nietzsche busca na filosofia da *Força* uma ginástica para a sua fraqueza. Merimée, tímido e sentimental, quer parecer fleumático, irônico e seco de alma, por ter como vã: deslocada ou vulgar a expressão de seus sentimentos. Machado de Assis, o Merimée brasileiro, é igualmente um tímido e um emotivo que procura corrigir a timidez e disfarçar a sensibilidade dolorosa adotando a atitude orgulhosa e impassível do estoico que se inteiriça contra a emoção debilitante. O sombrio pessimismo literário de Maupassant encontrava o maior desmentido no seu temperamento saudável, otimista, exuberante. A vida proba de Zola estava em choque com o realismo espurcídico de seus livros. Quem leia *Aphorodite* ou *Les Chansons de Bilitis*, produtos refinados duma imaginação lasciva, dificilmente admititirá que Pierre Louys era fraco do peito e casto. Mais difícil de admitir é a castidade do Marquês de Sade, e entretanto já houve quem jurasse por ela, com certo fundamento. Rematando os exemplos: o livro *Nada de novo na frente ocidental*, que toda gente leu, deixa no leitor a impressão de que Remarque viu de perto e padeceu longamente os trágicos horrores do *front*, na Grande Guerra, donde teria saído com os nervos abalados e a alma sangrando para todo o sempre. Livro impressionante de verdade, intensamente vivido, afirmou a crítica universal; livro escrito com sangue, como devem ser os bons livros, disseram os repetidores da conhecida fórmula nietzscheana. Pois bem, não. Já se desconfiava de que a obra de Remarque fora escrita, como todas as grandes obras, com a boa tinta da imaginação. Agora, ao que parece, tem-se a certeza. Diz-se que o famoso autor não conheceu a guerra muito de perto, senão através de relatos de combatentes, no hospital e na zona menos perigosa dos abastecimentos, onde unicamente esteve. Mas Remarque, se bem ouviu, melhor contou, isto é, compôs, romanceou, com admiráveis recursos literários. O valor de sua narrativa nada perde com isso. Pelo contrário. Superar a realidade, torná-la interessante, poetizá-la, é o segredo dos verdadeiros artistas.

Flaubert, homem sincero e probo como nenhum outro, converteu em dogma a insinceridade na arte, de tal modo lhe parecia fundamental a antinomia entre a realidade e a imaginação. Entendia ele que a arte mais sequiosa de verdade malogra-se totalmente ante a expressão das realidades mais imediatas, aquelas que estão mais perto de nosso coração. Toda emoção, ao ser transposta numa forma de arte, se força e desnatura, torna-se diferente do que era. O artista não pode ser sincero na extravasão dos sentimentos pessoais porque estes se transformam ao efeito do prazer que advém da expressão estética. Quem diz arte, diz artifício. Este pensamento domina a teoria da "arte pela arte". Gautier, Edgar Poe, Baudelaire, desenvolveram nas suas digressões estéticas o princípio do artificial na literatura. E como o poeta das *Flores do Mal*, Verlaine jactava-se de fazer muito friamente versos apaixonados.

A oposição entre o caráter do homem e o caráter da sua obra é sem dúvida o caso mais geral. As exceções, aqui, parece que fundam e confirmam a regra. Paradoxo insolúvel? Talvez não. A sensibilidade do artista filtra-se, decerto, através da insinceridade aparente de sua arte. Se não podemos recolher e analisar esse filtrado, cabe a culpa à imperfeição dos nossos aparelhos de crítica.

Há sinceridade e... sinceridade. A do artista não deve ser confundida com a dos homens comuns, a cuja comunidade ele próprio também pertence como homem que é, mas da qual diverge como artista, isto é, quando se evade da realidade. Aludindo precisamente ao conceito da "arte como evasão", notou Charles Lalo:

"O rouxinol só canta na estação dos amores. Isto por não ser artista. O canto não é para ele senão um suplemento de atividade fisiológica. Se fosse homem, cantaria, ao contrário, quando – tendo o amor no coração – não pudesse amar."

E aí temos a sinceridade do ser elementar — no rouxinol, e a sinceridade do ser extra-elementar, artista — no poeta.

* * *

Sainte-Beuve estava numa boa pista ao introduzir o método psicológico na crítica literária. Fossem conhecidos em seu tempo os modernos processos de investigação da vida instintiva e mais brilhantes e satisfatórios teriam sido certamente os resultados de suas tentativas de análise psicológica da obra de arte e da biografia afetiva do artista.

Os críticos do futuro têm de se inspirar nas direções da psicologia do instinto e não em caprichosas preceptivas do gosto ou em arbitrários postulados das escolas. Nietzsche compreendeu cedo que "a Estética não é mais que uma Fisiologia aplicada", como dizia, ideia que os psicanalistas desenvolveram depois, concedendo grande importância ao papel que a sexualidade representa na gênese da vocação artística. Tal crítica, como é bem de ver, só pode ser proficientemente exercitada por médicos psicologistas que sejam ao mesmo tempo homens de letras.

Dir-se-á que é tão ilusória como qualquer outra a tentativa de explicar as razões da arte por meio duma psicologia puramente instintiva. Concede-se facilmente. Em todo o caso, a nova crítica terá introduzido um elemento de maior precisão nos processos de investigação e análise da criação artística. Continuaremos a ignorar o mecanismo do gênio ou da inspiração, é verdade, mas com algum método científico...

DOENÇA E TALENTO SUPERIOR

Não é de hoje que se diz que o talento superior anda unido a miúdo com disposições neurastênicas, anomalias hereditárias e outros sinais de enfermidade. Data da antiguidade a teoria que faz do gênio uma tara patológica. Modernamente, a teoria renovou-se na fórmula de Moreau de Tours: "O gênio é uma neurose". Lombroso recolheu a fórmula, tornando-a mais precisa: não se trata duma neurose em geral e sim duma neurose particular, a "epilepsia larvada". Os numerosos casos clínicos (pela maior parte mal documentados, afirma-se) que o sábio italiano colecionou em abono de sua tese induziram alguns de seus discípulos a pesquisar gérmenes de enfermidade em todo cérebro um pouco acima da mediania.

Max Nordau achava que os gênios emocionais, como é o caso de certos artistas, estavam mais perto da neurose, ao passo que os sábios e os homens de ação, superiores pela vontade ou pelo vigor do raciocínio, pareciam-lhe sãos e equilibrados. Nordau e outros sequazes das ideias lombrosianas descobriam estigmas de degenerações e sintomas de insanidade mental nos maiores gênios artísticos de seu tempo: Dante-Gabriel Rossetti, Ruskin, Wagner, Ibsen, Tólstoi, Whitman, Nietzsche...

Exagerou-se a mais não poder a análise dos caracteres patológicos e anormais dos homens superiores pela inteligência ou pelo talento. Buscou-se, mesmo, identificar o gênio e a loucura. Não havia fugir: os que não eram loucos varridos, eram pelo menos aluados, histéricos, paranoicos, epiléticos. Os exemplares mais altos da espécie humana não escapavam à severidade dos diagnósticos. São Francisco de Assis era um suave maluco; Santa Teresa, histérica; Joana d'Arc, vítima de alucinações, como Pascal ou Tasso; São Paulo, epilético e sujeito a crises, o mesmo acontecendo a Mafoma, Lutero, Savonarola e a muitos outros reformadores religiosos. Júlio

César, Petrarca, Newton, Pedro o Grande, Molière, Dostoievski (a lista é longa) sofriam também de ataques convulsivos e vertiginosos. O próprio Napoleão I não teria escapado ao "mal comicial". Sergi escreveu um livro tendente a provar que a reforma da sociedade preconizada por Jean Jacques Rousseau era o sonho dum hipocondríaco que a impotência física e a insatisfação sexual tornavam descontente dos homens e da vida. Não há muitos anos, Binet-Sanglé, autor duma obra intitulada *La folie de Jésus*, procurou demonstrar que o Nazareno fora um louco e um enfermo.

Rastreando o papel que o elemento psicopatológico representa no problema do gênio, Kretschmer pondera que a saúde psíquica é, com efeito, uma graça, uma ventura, sem ser todavia um benefício. O homem equilibrado é o que se sente bem, o filisteu, o burguês satisfeito; porém a tranquilidade e o bem-estar jamais serviram de estímulo para as grandes empresas. O guerreiro, o santo, o poeta, o revolucionário, não foram homens *equilibrados*.

A patografia do talento superior tem sido feita principalmente, como é natural, por estetas médicos. As monografias médico-psicológicas sobre a inspiração ou o gênio são úteis, mas pecam no geral dos casos por um dogmatismo simplista e vão às vezes além do razoável na pesquisa de indícios patológicos. Os médicos veem moléstias por toda parte: esse aliás é o seu papel. A dar-lhes crédito, os movimentos do pensamento têm uma causa fisiológica e a inquietação e a infelicidade que caracterizam a vida de muitos homens de gênio são a consequência de desequilíbrios somáticos, intelectuais ou morais. Nos dotes geniais do artista, dizem, dá-se uma espécie de reforço patológico, sendo que tal reforço só se produz com o abandono ou o descuido de outras atividades espirituais e sentimentais, em prejuízo do sistema nervoso e do equilíbrio físico.

Valha a verdade, não são só os médicos; também o vulgo acha anormais o poeta, o artista, o profeta, o reformador, o santo, o herói, e em todos enxerga uma veia de loucura. O próprio artista reclamava, na época romântica, um "foro de exceção", orgulhava-se de sua neurose, de sua essência patológica. André Gide, no seu *Dostoievski*, afirmou a existência duma tara física ou moral na base de todo talento original.

Ponderou-se especialmente o aumento, lindante com a enfermidade, da atividade nervosa do homem de talento superior. Pela maior parte, os poetas, os artistas, os escritores, quando excepcionais pela inteligência e pela sensibilidade, são nervosos ou pelo menos sensitivos em grau às vezes doloroso. E longe de ser um mal, é isto um bem para a faculdade criadora. "A família magnífica e lamentável dos nervosos é o sal da terra", declarou Marcel Proust. "Tudo o que conhecemos de grande nos vem dos nervosos. São eles, e não outros,os que fundaram as religiões e produziram as obras-primas. O mundo jamais saberá o quanto lhes deve e, sobretudo, o que padeceram para dar-lho". Este modo de ver concorda com o do Doutor Ernesto Jones, psicanalista, quando diz que os neuróticos são, com frequência, os archotes da civilização, que talvez não existisse sem o seu esforço espiritual acima do comum, esforço ao qual podem sucumbir.

Não falta, entanto, os que negam que os dotes geniais, e neste caso os do artista, tenham algo de enfermiço. Em consequência, procuram explicar os referidos dotes à luz da psicologia normal. Na opinião destes, o gênio não é nenhuma anomalia, só havendo entre os seus dotes e os comuns diferença de grau e não de natureza.

Seja como for, a enfermidade não prova nada, nem contra a obra do gênio enfermo nem a favor dos enfermos sem talento. A doença, ao que se sabe, é igualitária e não tem preferências entre os homens. Quando ao homem normal, existe acaso? É duvidoso que tenha jamais existido. O Doutor Héricourt diz que o indivíduo perfeito do ponto de vista fisiológico não existe, como não existe o indivíduo perfeito do ponto de vista da anatomia e da forma. Podem-se acaso delimitar as fronteiras da saúde e da moléstia? Não é o homem, como dizem que dizia Hipócrates, todo ele uma doença? E não o definiu um endocrinologista "um símio infantil com perturbações na secreção interna?"

Parece até que devemos congratular-nos de que não exista o homem perfeitamente são. A existir, não passaria dum bom animal, comendo bem, dormindo bem e reproduzindo-se com regularidade. Uma sociedade de seres absolutamente normais, e que as séries de impressões fossem iguais para toda gente, identificados os homens nos mesmos gostos, nos mesmos desejos e nas mesmas inclinações, uma tal sociedade seria perfeita como uma colmeia ou um formigueiro, mas não teria arte, nem literatura, nem ciência, nem nada do que dá preço à vida humana e a coloca acima da simples animalidade. Toda diferenciação, tudo o que se pode chamar progresso, resulta primeiramente duma anomalia. O heterogêneo é uma infração do homogêneo. Não há evolução sem deformação do tipo normal. As variações bruscas das espécies vivas, segundo creem hoje alguns naturalistas, são originadas provavelmente por latos patológicos que provocariam a ruptura dos ciclos fechados reprodutivos.

Onde há riqueza de alma, onde há psicologia, aí começa a patologia. O mundo do espírito é a doença, o mundo da saúde é o do corpo. O espírito substitui, frequentemente com vantagem, as deficiências de adaptação orgânica. A incapacidade física, não raro, faz que se aguce o cérebro, e as próprias toxinas das moléstias parecem agir às vezes como estimulantes da vida afetiva ou intelectual. Freud crê que as mesmas repressões que em certos indivíduos são causadoras de neuroses, noutros engendram, pelo contrário, a capacidade para toda espécie de criação cultural. E é neste sentido que o professor de Viena chama à neurose "uma obra de arte malograda" e à obra de arte "uma neurose bem-sucedida".

Somos todos enfermos, o que não é de admirar dada a fragilidade e a complexidade de nossos órgãos. Mas o fato é que o homem se adapta às piores enfermidades, e a doença, habitualmente nefasta, pode ser a origem de magníficas aventuras do espírito. Porque a dor apura no homem as faculdades da alma, diz Pascal que "a moléstia é o estado natural do cristão".

Parece fora de dúvida que o sofrimento pode influir beneficamente na vida da imaginação. A poesia foi em Lamartine, que era um tuberculoso, como tantos outros poetas, um derivativo para seus males. O lirismo lamartineano, consoante escreveu o Doutor René Tatin num ensaio de clínica literária, jorrava da dor. Desde que o mal se afastava, o grande poeta não era mais que um historiador, um filósofo, um gentil-homem. Stevenson, tuberculoso, valetudinário, escreveu o melhor de sua obra no leito, recostado a uma montanha de travesseiros e fazendo dos joelhos encolhidos a sua escrivaninha. Paralítico geral, como Baudelaire, Júlio de Goncourt e Maupassant,

Frederico Nietzsche viveu os dez ou doze últimos anos de sua vida, antes de perder a razão, atenazado por contínuos padecimentos físicos. Tinha o estômago delicado e a vista fraca, sofria de horríveis nevralgias e de atrozes insônias. Impulsivo, instável, neurastênico, sem vontade, Nietzsche foi, entretanto, contra toda lógica, um professor de entusiasmo. Quanto mais doente estava, tanto maior era a força com que afirmava a vontade de viver e tanto mais apaixonado o empenho com que se entregava à sua obra. *"Minhas experiências de enfermo aguçaram-me a inteligência"*, escreveu o filósofo referindo-se aos seus males. *"Minha arte da filigrana, meu senso extraordinário da compreensão, meu instinto dos matizes e todas as sutilezas de meus órgãos de observação afinados em meus longos anos de enfermidade e de cura, permitiram-me notar concepções e valores mais sãos, colocando-me desde o meu ponto de vista de enfermo"*. Que agudo senso psicológico a moléstia não deu também a Marcel Proust que lutou toda a vida contra a má saúde, sempre cerrado em seu quarto, a resguardar-se por causa da asma, das sufocações, que padecia desde os nove anos!

Bernardo Pereira de Vasconcelos, segundo o definiu Euclides da Cunha, *"era uma alma titânica dentro de um arcabouço abatido e afistulado de moléstias"*. E a respeito do ilustre filho de Minas informa Sacramento Blake: *"Nos últimos anos de sua vida sofreu de uma afecção da medula espinhal, de que lhe resultou a paralisia das extremidades inferiores, mas a sua atividade intelectual parece que com os sofrimentos físicos mais se apurava"*.

Em suma: anormal ou não, a inteligência superior é um acidente. Num corpo são ou num organismo enfermo, o talento original deve ser celebrado como um acontecimento feliz e raro. É que os homens mais inteligentes e sensíveis são os que mais sofrem e têm menos saúde? Bem pode ser. Nem seria justo que tivessem tudo na vida. A felicidade, a boa saúde animal, a alegria física de viver ficam para os tolos — egoístas, razoáveis e satisfeitos.

NOVA IDADE LITERÁRIA?

Em 1928, o semanário *Monde*, publicado em Paris sob a direção de Henri Barbusse, convidou certo número de escritores europeus de renome a responderem às seguintes questões:

1° Crê que a produção artística e literária é um fenômeno puramente individual?

2° Não acha, ao contrário, que pode ou deve ser o reflexo das grandes correntes que determinam a evolução econômica e social da Humanidade?

3° Crê na existência duma literatura e duma arte que expressem as aspirações da classe operária?

4° Quais são, na sua opinião, os principais representantes dessa literatura e dessa arte?

Quatro perguntas que podiam reduzir-se a uma só: Há ou pode haver uma literatura e uma arte de inspiração proletária?

Eis uma questão que, como tantas outras, suscita a discussão de inúmeros temas correlatos. Nela se cruzam intricados problemas estéticos, políticos e sociais. Para abordá-la satisfatoriamente seria preciso talvez escrever volumes.

Um volume precisamente, de mais de quatrocentas páginas, foi o que escreveu Henri Poulaille sobre o assunto. Posto que não fosse escrito para responder ao questionário do *Monde*, o livro de Poulaille, *Nouvel âge littéraire*, publicado em 1930, vale por uma longa e minuciosa explanação do tema oferecido no aludido questionário.

Henri Poulaille afirma que, duns trinta anos para cá, uma literatura especificamente proletária tem surgido um pouco por toda parte sem que os autores de atlas, manuais ou histórias literárias façam dela qualquer menção. Essa literatura responde a uma realidade, na opinião do crítico libertário francês; é expressão duma classe e traduz com frequência as aspirações, os anseios dessa classe, ainda que pela maior parte as suas manifestações sejam obras de combate. Representando uma fórmula de arte que reage contra a literatura burguesa, é por isso mesmo uma manifestação artística de transição. *"Em todo caso, ela existe, trouxe um acento novo, é nítida, e responde às necessidades duma classe que vive sob o jugo da contínua incerteza do pão cotidiano."* É uma literatura de reação e de luta, que precede e prepara uma nova idade literária. De seus re-presentantes mais qualificados, neste momento, encontra-se no livro de Poulaille uma extensa lista, na qual respigamos os nomes mais conhecidos de Charles Louis Philippe, Margueritte Audoux, J. R. Bloch, Marcel Martinet, Jean Giono, Charles Vidrac, E. Dabit, franceses; Boris Pilniak, Maja, kovski, Nikitin, Essenin, Alexandre Blok, russos; a flamenga Neel Doff; o rumeno Panait Istrati; o tchecoslovaco George Volker; os alemães L. Franck, Ernst Toller, Johannes R. Becker, Petzold; os norte-americanos Upton Sinclair, John Dos Passos, Flory Dell. Sem falar dos grandes precurssores: Zola, Walt Whitman, Tólstoi, Wells, Gorki, Heinrich Mann, Hauptmann, Bojer, Hamsun, Romain Rolland, Barbusse, Blaise Cendrars, Ramuz, Moretti, Pio Baroja, Thomas Hardy, Reymont...

Em seu livro *Literatura e Revolução*, Leão Trotski emite, igualmente, a opinião de que a arte proletária será uma arte de transição que não deve ser confundida com a arte socialista cujos fundamentos não foram ainda lançados. Do mesmo modo, a ação revolucionária bolchevista não é uma finalidade em si, porém um meio de se atingir o desejado objetivo: o socialismo integral. *"A literatura tem que estar saturada do espírito de ódio social"*, escreveu o ex-comissário da Guerra dos Sovietes, aliás sagacíssimo crítico literário. *"No socialismo é a solidariedade a base fundamental da sociedade"*.

Como será a nova literatura anunciada pelos teóricos da revolução social? No entender de Poulaille, a literatura não pode ser um passatempo, um jogo, um entretenimento, como é hoje: passatempo do artista, passatempo do leitor. Em verdade, na maioria dos casos, a literatura atual não é apenas um passatempo: é também um negócio, e às vezes excelente, para quem escreve, para quem edita, para quem vende. O escritor é movido principalmente pela cobiça: quer prêmios, público, nomeada, honrarias, dinheiro. Ora, a literatura deve ser mais que um mero recreio ou uma simples profissão. Deve aspirar a fins mais altos que os de fornecer distrações aos ociosos ou sustentar os que manejam a pena. A missão do escritor tende a despertar energias. O romancista, ou o autor dramático, será o testemunho, o intérprete imparcial, ou mesmo parcial, de sua época. Sua principal condição é a de recriar a vida, a de assinalar e acentuar as grandes linhas dos problemas da vida. A literatura individualista, de evasão, assim como a da Arte pela Arte, estão destinadas a uma renovação completa, assegura o autor de *Nouvel âge littéraire*. Um Proust, um Mauriac, um Benoît, um Maurois, um Dekobra, não são mais do nosso tempo.

A nova literatura será *realista*, em oposição ao caráter romântico da literatura burguesa; realista, num sentido novo, como o que, por exemplo, lhe atribui Trotski, e não *realista* à maneira de Zola e seus discípulos. (O verismo, na opinião de Carducci, era a décima-quarta maneira do romantismo.) A poesia proletária, desembaraçando-se cada vez mais do lirismo sentimental, abordará de preferência assuntos épicos, lutara contra o subjetivo e o psicológico. A idade do *Eu*, afirmam, terminou; começa agora a idade do *Nós*.

Muitos não acham possível a existência duma arte e duma literatura de feição proletária. Para os que assim pensam, uma pintura operária, uma música operária, dramas operários, romances e poemas operários — criações tendenciosas, alegações em favor duma determinada classe social, — deixam de ser literatura ou arte, para se converterem automaticamente em política. Com efeito, os corifeus da arte proletária não fazem segredo dos seus intuitos deliberadamente políticos. Piscator, o famoso diretor de cena do teatro operário de Berlim, tinha como programa: *"Nada de Arte. Política. A educação dos proletários e a agitação"*. O que importava a Piscator, como em geral aos adeptos do comunismo, era *"a extirpação completa das ideias burguesas no domínio das artes"*. Referindo-se às condições e propósitos da literatura proletária, o romancista russo Panferow declarou que os escritores burgueses, não são, nunca serão capazes de compreender a natureza dialética dos fatos sociais, a penetração do materialismo na vida, no mecanismo do universo. Unicamente as agrupações industriais e campesinas podem sabê-lo bem, porque dele vivem e para ele trabalham. A arte proletária, asseverou o autor de *Brusski*, arte baseada num fundo prático e realista, *"encontrou já seu caminho, e ninguém, nenhum obstáculo, conseguirá desviar-nos duma senda que nos há de levar a fins precisos, friamente calculados"*.

Os que temem que a literatura se corrompa na política podem ficar tranquilos. A documentação ao vivo e o ardor proselitista não são novos nas artes e nas letras. São até o que há de mais natural e, por bem dizer, inevitável. Sabe-se que a *Commedia* de Dante não foi mais que o poema do ódio e da vingança. Orgulhoso, colérico, vingativo, — *genus irritabile vatum*, — o altíssimo poeta exercitou o prazer da vingança e sentiu o gozo das represálias no arrastar pelos círculos infernais as vítimas de seus ressentimentos. Não poupou nenhum dos seus numerosos desafetos, a começar do Papa Bonifácio VIII. Todos foram colocados na *citá dolente*: *"Che bell'onor s'acquista in far venderta"*. Aí está. O caráter tendencioso duma obra não lhe prejudica em nada os méritos, se os tem. O que se quer é que a obra seja realmente grande, pouco fazendo ao caso as contingências humanas que lhe deram origem. Não sai nada do homem que não seja tendencioso e é com razão que se diz que tudo no mundo se reduz a política; dito doutro modo, tudo na vida em sociedade é ao cabo de contas, política, no seu mais largo sentido; política, isto é, tudo o que tem como essência a *libido dominand*, ou, em linguagem nietzscheana, a vontade de poder; política, isto é, tudo o que transcende dos dois instintos primordiais do indivíduo: a nutrição e a reprodução. As criações artísticas são, a um tempo, individuais e sociais; sendo sociais, são de algum modo políticas.

O que importa principalmente saber é se o sistema capitalista burguês será substituído algum dia pelo sistema proletário comunista. Se for (o que só o tempo poderá dizer), a literatura de amanhã terá sem dúvida uma coloração proletária, como a literatura de hoje tem uma coloração burguesa. Mas isto para a literatura das massas, como atualmente acontece. A maioria dos escritores procura satisfazer o gosto da época, adular as instituições, lisonjear os poderosos do momento, seguir as modas do dia, obedecer aos ditames do maior número. Ao lado, porém, desta maioria conservadora, submissa, satisfeita, aproveitadora, há sempre uma minoria rebelde, insubmissa, não-conformista, insatisfeita, reformadora, inimiga das normas estabelecidas.

Esta minoria, colocada sempre a contracorrente das massas, é a que realmente vale em cada época. Compõe-se, em regra, de indivíduos de eleição, solitários, combativos, armados em guerra contra seus contemporâneos. Longe de ser representativa, democrática, é, ao contrário, uma minoria heroica, de exceção, em luta com o espírito do seu tempo.

Como quer que seja, o que parece certo é que a literatura de amanhã não será muito diferente da literatura do presente e do passado. F. Baldensperger faz notar em *La Littérature* o efeito medíocre das transformações políticas nas vicissitudes das formas literárias e nega, mesmo, que a literatura seja a expressão das sociedades. Com razão. Por muito que a vida social se transforme, a alma humana não muda. Através das idades sem fim, os homens são movidos pelos mesmos sentimentos, os mesmos desejos, os mesmos incitamentos, as mesmíssimas paixões. Eis por que nada se parece tanto com um livro de hoje, uma obra de arte de hoje, como um livro ou uma obra de arte de há dois ou três mil anos.

POST-DATA DE 1941

As letras, as ciências, as artes, a intelectualidade, tudo os bolcheviques pretenderam transformar. Sabiam, porém, que era tarefa para muito tempo. Enquanto lá não chegavam, e como já a revolução tivesse entrado na fase construtiva, parecia-lhes indispensável a colaboração ilimitada das forças melhor dotadas e instruídas. O próprio Lenin achou que era necessário atraí-las e aproveitá-las, embora convencido de que em breve poderia ser dispensada tal colaboração, quando o proletariado formasse uma intelectualidade particular com pessoal seu, especializado.

No seu livro *Literatura e Revolução*, publicado em 1923, Leão Trotski abordou o assunto, acentuando a necessidade de se estimularem e cultivarem no proletariado, com tal objetivo, as forças capazes de desenvolvimento. Pensava ele, entretanto, que a classe proletária, mantida tanto tempo em situação de inferioridade social, só se encontraria em condições de competir nesse terreno com as outras, ou de torná-las supérfluas, quando a ordem atual se transformasse numa ordem socialista, sem classes. Neste sentido, enxergava a possibilidade duma cultura e duma literatura peculiarmente proletárias. A seu ver, a ditadura do proletariado deveria durar o menos possível e neste lapso de tempo os proletários teriam de prestar a máxima atenção aos assuntos políticos e econômicos e cuidar mais da destruição do passado que da reconstrução propriamente dita. A literatura proletária seria, pois, ao menos provisoriamente, uma arte de transição que não se deveria confundir com a arte socialista, cujos fundamentos não haviam sido ainda lançados. De modo análogo, a ação revolucionária não representava uma finalidade em si mesma, porém o meio de se alcançar o desejado alvo: o socialismo integral. *"A literatura tem de estar saturada do espírito do ódio social"*, escrevia então o ex-comissário da Guerra dos Sovietes, que viveu seus últimos anos como herético e réprobo da ortodoxia stalinista.

Convencionara-se que a arte soviética seria realista, adotando-se para o caso, escolhida entre as denominações tradicionais, a que lhe parecia mais adequada. Seria realista e irreligiosa, porque a revolução não se coaduna com a mística, dizia Trotski, acrescentando que a nova arte infundiria vida nova à comédia e ao romance e concederia todos os seus direitos à lírica, pois o novo homem seria melhor e amaria mais que os homens anteriores e teria ideias próprias acerca da vida e da morte.

O teorista, bem se vê, mostrava-se francamente otimista, como aliás o são todos os revolucionários, por isso que, se agitam o mundo e o incendeiam e destroem um pouco, é com a honrada, ingênua e perigosa intenção de o consertarem e melhorarem.

Como não era para menos, Trotski dava grande importância ao problema da técnica artística. Não era dos que pensavam que se devia fazer *tábula rasa* dos ensinamentos da chamada arte burguesa. Ao invés disso, aludia na obra citada à necessidade de colaboração com os concorrentes ou companheiros da literatura não-proletária. Rebatia energicamente a afirmação aventurosa de que a arte dos trabalhadores podia prescindir da longa preparação técnica e da solidez da arte ao serviço do capitalismo, e impacientava-se com os que diziam: — *"Antes uma coisa sem polimento, porém nossa"*.

Desta verdade se convenceu também Stalin, ao verificar o nível extremamente baixo a que descera a arte dos escritores soviéticos, por carência de autocrítica e asfixia da personalidade. *"Aprendei a escrever com os escritores sem partido"*, teria aconselhado então o ditador vermelho.

Muito se debateu, antes e depois do livro de Trotski, o tema da arte soviética, arte proletária, arte das massas, arte como ferramenta de luta, ou que outro nome lhe tenham dado. Quanto às tentativas de realizações artísticas neste sentido, sabe-se que os resultados têm sido pífios, não passando de ensaios larvares, fingidos, imitados dos modelos antigos, e até amaneirados. Em alguns casos, reinventaram-se inconscientemente velhos e caducos processos de arte. Foi o caso do teatro soviético (em que Trotski punha tantas esperanças), no qual se *inventou* uma novidade de quatrocentos anos: o teatro de Juan del Encina e Gil Vicente.

Por duas vezes, os dirigentes soviéticos entenderam de lutar contra a ideologia burguesa e as tendências reacionárias na arte, empregando os mesmos processos de violência, coação e terror utilizados por eles na vida política. A princípio tentaram impor uma arte puramente proletária, feita por proletários e para proletários.

Depois, com o plano quinquenal, surgiu a associação dos escritores proletários, que proclamou como único fim da literatura a propaganda do plano e dominou em forma absoluta toda a vida artística da U.R.S.S.. A miopia partidária que daí se originou paralisou de maneira rápida e violenta o desenvolvimento da literatura de qualidade, a tal ponto que o partido houve por bem dissolver a associação e fundar em seu lugar outra de caráter geral e menos intransigente, em que os comunistas fossem apenas uma fração.

Essa última associação de escritores soviéticos reuniu-se em congresso, pela primeira vez, há poucos anos, na capital vermelha, a ele havendo comparecido representantes comunistas de outras literaturas. Falou-se muito, no Congresso, em *realismo socialista* e na condenação do *individualismo*, definido como *um desenvolvimento abusivo e antissocial do indivíduo*. O congressista Bukarin, definindo o realismo em geral e o realismo socialista em particular, explicou que este, como método artístico, é o inimigo de toda transcendência, toda mística, todo mais-além idealista.

Em nome dos delegados franceses e no seu próprio, cujas opiniões comunizantes não se amoldaram entretanto ao humanismo infinitamente magro do realismo socialista, respondeu André Malraux, proferindo as palavras mais convincentes que ali se ouviram. Disse Malraux que a arte não era uma submissão, mas uma conquista. Conquista de quê? Dos sentimentos e dos meios de os exprimir. Sobre o quê? Sobre o inconsciente, quase sempre: sobre a lógica, amiudadas vezes. E acrescentou que, se o marxismo era a consciência do social, a cultura era a consciência do psicológico. Etc. etc...

Os escritores soviéticos, que já gozavam na ocasião, pelo que parecia, de alguma liberdade literária, contanto que se mantivessem em atitude leal ao poder, não estiveram longe de concordar que os escritores têm o direito de se preocupar tanto com o individual como com o social. E se os houvessem apertado um pouco teriam, talvez, reconhecido ao escritor todos os direitos, salvo o de escrever mal.

Tudo isto porque se perdeu quase totalmente na Rússia a arte de escrever, arte individual, que qualifica e confere jerarquia ao homem de letras e sem a qual não há literatura digna deste nome.

Ao fazer o *compte rendu* do congresso, contou um jornalista que uma delegada russa, Madame Seifulina, reconhecendo a própria ineficiência e a dos seus companheiros, teria exclamado num belo movimento de modéstia:

— Tivemos muita pressa em sagrar-nos escritores! — Nada mais verdadeiro, glosou o jornalista.

PRÓ E CONTRA OS LIVROS

A literatura está hoje num período de grandeza que anuncia talvez seu próximo declínio, sua decadência. Avalanches de papel impresso ameaçam submergir o mundo, habitado por uma humanidade letrada, erudita, livresca. É incalculável a massa de livros novos que se imprimem cada ano em terras de civilização. Só na Inglaterra, editaram-se em 1931 nada menos de 14.688 obras de todos os gêneros. As cifras da Alemanha são provavelmente superiores a estas, pois é a Alemanha o país onde mais se imprimem livros. As da França e dos Estados Unidos costumam ser um pouco inferiores às da Inglaterra.

E que dizer desses tremendos concorrentes do livro, os jornais modernos, que tudo veem, tudo sabem, tudo informam? Dá vertigens pensar no que diariamente se escreve e publica. Rios de literatura, torrentes de conhecimentos, caudais de informações, catadupas de notícias, alagam de contínuo este vasto mundo.

Jamais o que se escreve influiu tanto nos costumes, e nas ideias, nos acontecimentos, na vida social duma época, como influi neste momento. Essa influência, naturalmente, não é boa em todos os casos. Pode, por conseguinte, ser apreciada de várias maneiras.

O livro também tem detratores. Como não havia de os ter? Adversários do livro sempre os houve, embora em número pequeno. Rousseau era de opinião que o abuso dos livros matava o saber. A demasiada leitura, afirmava, só serve para fazer ignorantes presunçosos.

Os inimigos do livro são como os misantropos: sua inimizade é feita de exigência, de excesso de amor. O misantropo despreza os homens porque desejaria que fossem perfeitos. A mesma razão determina o desdém do bibliófobo. O livro liberta o espírito da ignorância? Extingue o mal e implanta o bem entre os homens? A humanidade avança acaso, de livro na mão, o passo firme, a fronte iluminada? Em parte, sim; em parte, não. Eis o que torna descontentadiços a certos espíritos exigentes e absolutistas, os quais parece que andam a dizer, como nos versos de Joseph Autran:

> *Je sais bien de savants qui sont de pirs conquins,*
> *Et de forts braves gens qui ne savent pas lire!*

Outros são contrários à difusão do hábito de ler por espírito antidemocrático, porque receiam aquilo a que chamam os malefícios da instrução e temem que o povo se corrompa e desenfreie com as más leituras. O filósofo idealista Berkeley deblaterou contra a instrução, que no seu entender semeara a desobediência, a heresia e as dissenções religiosas no mundo, males que a letra de imprensa se encarrega de espalhar.

Não é de hoje que se acha excessiva a produção de livros. Inimigo da incorrigível vulgaridade humana, Schopenhauer era partidário duma espécie de teoria maltusiana da literatura. Opinava que se devia proibir a publicação de maus livros e preconizava, como Sêneca muitos séculos antes, a pouca e boa leitura. Nietzsche considerava a crescente invasão dos livros como uma calamidade a que era necessário pôr cobro. "Um século de propagação literária", exclamava, "e o espírito acabará por adquirir mau cheiro".

Aos aristocratas da inteligência, como Schopenhauer ou Nietzsche, o que interessa é a cultura seleta de alguns poucos, dos *happy few*, e não a cultura superficial de muitos, cultura de segunda zona, democrática e vulgar. Aí temos porque a imprensa, populacheira e niveladora, provoca os mais duros sarcasmos dos partidários das culturas esotéricas e sempre foi alvejada pelas diatribes dos fiéis da literatura da torre de marfim.

Os espíritos aristocráticos sempre votaram grande desprezo ao literatoide, ao escrevinhador comum. O Conde Hermann de Keyserling confessava a escassez de suas leituras. Convém entretanto não esquecer que o filósofo de Darmstadt é mais que tudo um literato, e os literatos, pelo geral, só acham boa a leitura das próprias obras e desdenham soberanamente o que os outros escrevem.

O orgulho de certos homens de letras chega a ser insolente e quase inumano. A exasperada egolatria, a excessiva estimação de si mesmo leva-os a desprezar o público em geral. "Escrevo, não para ser compreendido, mas para aqueles que me compreendem", é assim que falam esses orgulhosos *aristocratas*. Nenhum deles almeja, como o grande Manzoni dos *Noivos*, dar "um baile para os pobres".

Há um bocado de anos, dirigiu-se Gaston Picard, numa *enquete* periodística, aos escritores franceses mais em evidência, perguntando-lhes "porque escreviam?". De oitenta que responderam, só quinze ousaram confessar que se dirigiam a toda gente, enquanto que os outros declaravam que lhes bastava a sua própria satisfação ou a estima de seus pares. O público não compreendia? Achava-os difíceis e preciosos? Tanto pior para o público.

Assim entendida, a literatura torna-se uma simples distração para uso de especialistas. Pelo menos é ao que parecem visar certos modernos escritores de escol na França: os Proust, os Valéry, os Claudel, os Giraudoux. Um dos pontífices destas altas letras afirmou que a arte moderna não tem por que baixar até o povo, fazendo-se pedestre e compreensível: o povo é que deve elevar-se às sublimidades da arte.

Contra esse aristocratismo estético protesta o espírito da nossa época, que pede uma arte e uma literatura de sentido social. Arte e literatura querem-se agora, não como passatempos de alguns raros predestinados, porém como educadoras e orientadoras das massas. A literatura representa uma força criadora de valores morais cujo papel é essencial no mecanismo do progresso. Como tal, cumpre ser utilizada a benefício da coletividade. É a tese do momento.

Não há dúvida que o papel reservado às letras parece-nos cada dia mais importante. Mas a estética não é apenas um ramo da Sociologia, e a literatura, conquanto tenha um caráter inegavelmente social, não pode ser unicamente um instrumento a serviço da sociedade. A literatura é tudo e comporta todas as tendências humanas: é individual e social, objetiva e subjetiva, moral e amoral, revolucionária e conservadora, clássica e romântica. Uma literatura para poucos pode muito bem existir ao lado de uma literatura para muitos e mesmo de uma literatura para todos.

Pouco importam as ideias literárias, os conceitos estéticos de cada qual. O certo é que a superioridade do homem está na imaginação, e esta encontra na leitura o seu mais poderoso excitante. A leitura faz-nos peregrinar através das imaginações alheias, ao mesmo tempo que enriquece e estimula nossa própria imaginação. Os grandes conquistadores, navegantes e aventureiros portugueses e espanhóis do século XVI tinham o espírito nutrido de leituras maravilhosas. Os romances de cavalarias insuflaram-lhes o gosto do heroísmo e o amor das grandes aventuras.

Os livros não são úteis ao homem unicamente para a sua informação ou para a sua formação. Neles achamos, além do mais, um fermento insubstituível de civilidade, uma incomparável escola de polidez. O melhor meio de polir o cérebro, afiançava Montaigne, é esfregá-lo nos dos outros. Os desajeitados correm o risco de o esfregar demais e perderem destarte a própria substância? Pois é lá com os desajeitados.

O papel acessório da leitura consistia, aos olhos de Marcel Proust, em dar "belas maneiras" ao espírito: "Os letrados seguirão sendo, apesar dos pesares, a gente de qualidade da inteligência; e ignorar certos livros, certas minudências da ciência literária, será sempre, mesmo no homem de gênio, um sinal de plebeísmo intelectual. A distinção e a nobreza consistem na boa ordem do pensamento tanto como numa espécie de franco-maçonaria de usos e numa herança de tradições".

As mais altas virtudes do livro não são talvez as culturais. As mais nobres virtudes do livro, como as proclamou Louis de Robert em *Le roman d'um malade*, estão no gabinete do homem acabrunhado ou abatido, na cela do prisioneiro, no quarto do enfermo, na cadeira do inválido. O livro dá vista aos cegos, que leem pelo método de Braille, e palavra aos mudos, que mantêm colóquios com as personagens das obras escritas.

O que se busca principalmente nos livros é a magia da arte, a ficção, o sonho, o *à peu près*. O atormentado coração do homem encontra neste jogo mágico alguma coisa que se assemelha à satisfação de seus desejos, tão certo é que a realidade representada produz os mesmos efeitos afetivos como se se tratasse da realidade vivida.

A NOBRE OCIOSIDADE

Quem aspire a entrar para a república das letras deve julgar-se de antemão excluído da república dos homens práticos. Desde cedo o dilema da ação e da meditação se apresenta ao espírito dos que se sentem inclinados para as coisas da inteligência. Optar prontamente por este ou aquele modo de vida parece de toda utilidade.

Na história natural dos espíritos, os ativos e os contemplativos pertencem a faunas e a ambiências diferentes. Quem nasceu para as puras atividades da mente está mais perto de Sírius ou Aldebarã que do mundo onde gravitam os que buscam acima de tudo o poder, a riqueza ou o prazer. Decerto é permitido o homem de pensamento amar o dinheiro, o luxo, as coisas boas da terra. O que a sua dignidade não consente é que anteponha o apetite material de viver às serenas alegrias da reflexão, ao júbilo de absorver a realidade dentro de si mesmo para convertê-la em ideia.

O maior dos bens a que pode aspirar um espírito meditativo é o lazer; lazer para o sonho e a contemplação; lazer para a festa da criação desinteressada; de par, já se vê, com um trabalho moderado, imposto pelas necessidades materiais da vida cotidiana.

Já foi dito que se pode estimar o valor dum homem pelo emprego que dá aos seus lazeres, ao seu tempo livre. O poeta, o artista, o filósofo, o sábio são produtos refinados do ócio. La Fontaine publicou a sua primeira obra — uma tradução — aos trinta e três anos de idade. Até aí a vida lhe transcorrera segundo a norma que a si mesmo indicara e que consistia em dividir o tempo em duas partes, passando "uma a dormir e outra a não fazer nada". La Fontaine consumia os dias e as noites a sonhar, dormindo ou acordado. Não fazia nada; quer dizer: preparava-se para ser o grandíssimo poeta que foi. Nas meditações de seus lazeres, é que pôde o grande "preguiçoso", como a si próprio chamava o fabulista, conceber a obra considerável e admirável que deixou ao mundo.

Cícero, durante a ditadura de César, empregou o tempo compondo as *Tusculanas*, ocupação que ele denominava *otium cum dignitate*. A "nobreociosidade" a que se entregava Cícero significava trabalho voluntário e desinteressado, no sentido oposto ao de trabalho como esforço que a necessidade impõe e a utilidade regula. Neste sentido é que a ociosidade, isto é, a recreação ativa, pode ser entendida como precursora e produtora de toda alta cultura. E não é noutro sentido que J. Ortega y Gasset sustenta a sua sedutora teoria da cultura como desporto, como floração da atividade supérflua e desinteressada em que se compraz toda natureza demasiado rica.

Descanso, com os meios necessários para viver com decoro, tal é o ideal dos que, faltos de impulso ativo, queiram conservar-se afastados das agitações da vida pública. Ideal bem modesto, em verdade, mas que ainda assim a nossa época de trabalho organizado e intensivo parece tornar, à primeira vista, praticamente inexequível. O homem, hoje em dia, vale principalmente pelo seu rendimento útil, pela capacidade de ganhar dinheiro. Toda riqueza adquirida supõe, ao cabo de contas, essa capacidade fundamental. Os ricos são os aristocratas, os senhores do nosso tempo. O homem sem riqueza é reputado simples mercadoria e ninguém vê nele mais que um produtor de trabalho. O pobre é o servo, o vassalo ou, no melhor dos casos, o cliente. O poeta canta os bens da vida, a fim de que os homens desejem ardentemente viver. O artista distrai os homens ativos nos breves ócios em que — ó tédio! — poderiam lembrar-se de que estão vivendo. O pedagogo recolhe a experiência do passado e transmite-a às gerações presentes. O cientista descobre novas relações úteis entre as coisas. Em troca, o homem rico, o dono e senhor, dá-lhes com que viver.

"Para que serves?" pergunta o homem prático ao homem contemplativo. "No mundo não há mais lugar para os inúteis. O dever máximo do homem é o dever da ação. Uma vida economicamente vazia é imoral." Ao que alguém que tenha o gosto da meditação, e seja, portanto, algo cético, poderá responder: "Mas afinal, a que é que conduz a ação? Por que se açodam tanto os homes ativos? Não são eles porventura como as abelhas ou as formigas, que não conhecem a razão de sua incessante diligência?"

Sim, qual a finalidade última a que visa o esforço do homem? Os que acreditam na evolução progressiva e no mito da história unilinear podem alimentar a esperança de que a atividade humana se capita-lize indefinidamente, de modo que as ações individuais, estratificadas umas sobre as outras por um processo quase geólogo, se prolonguem e perpetuem nos séculos dos séculos. Não admitido, porém, o conceito teleológico da História, como se explica a necessidade da ação a todo custo? Age o indivíduo unicamente por agir? Pode-se conceber a ação pela ação, a atividade como fim de si mesma?

Após a queda, no mesmo momento em que Eva era condenada a conceber com dor, Adão foi votado por Deus a comer o pão no suor do seu rosto; explicação teológica que assinala a cada sexo um papel especial na vida da espécie. Do ponto de vista biológico, afirma o Doutor Marañon, o homem está obrigado à ação pelo foro do seu sexo, tanto como por conveniência fisiológica. Por meio da riqueza, que é trabalho acumulado, o homem procura naturalmente livrar-se do trabalho físico e de qualquer fadiga corporal. Contudo,uma humanidade emancipada totalmente da maldição de Deus, uma humanidade que nada fizesse decairia tão rapidamente que logo às primeiras gerações teria encerrado seu ciclo vital.

Ocorre nesta questão do trabalho a necessidade de se definir o eterno dualismo da vida ativa e da vida contemplativa. Quem é um homem de ação e em que consiste o espírito contemplativo? A distinção é frequentemente especiosa. Viver é agir; só há vida onde há atividade. Do abúlico Hamlet ao exagitado Napoleão percorre-se a escala amplíssima da ação humana. A contemplação não é a passiva atitude que de ordinário se imagina, não devendo, portanto, ser confundida com a beatitude ou a abulia. Toda atividade legitimamente criadora tem profundas raízes na vida interior sob as suas mais variadas formas. Na vida dum Spinoza ou dum Kant, metidos entre as quatro paredes de um gabinete de estudo, encontra-se mais criação fecunda, e por conseguinte mais atividade verdadeira, que na vida do capitão de indústria mais empreendedor ou do homem de negócios mais dinâmico. Em riqueza, variedade e imprevisto, as aventuras da inteligência deixam longe as mais estupendas peripécias do mais extraordinário ulíssida.

São Francisco de Assis, que era um desocupado, um platônico "amigo de olhar", foi o homem que teve maior influência no mundo ocidental, depois de Cristo, outro contemplativo e o maior dos sonhadores. Claro que o homem do século XIII, ávido e violento, não poderia ter compreendido o espírito do *Poverello*, como não o compreende o homem moderno, utilitário e cúpido, em cuja cabeça não entra facilmente o ideal franciscano de pobreza e contemplação. O estilo de vida da nossa época, escravizada à prosperidade e à ação pertinaz, contende violentamente com a ideia de liberdade pela pobreza. A agitada cidade dos nossos dias, a grande cidade, a cidade milhão, a cidade mundial, está edificada nos antípodas da Porciúncula.

Mas nem todos se deixam arrastar no vortilhão da existência contemporânea, e estes são talvez os melhores. Não falta quem pense, contra o espírito o tempo, que as mais altas possibilidades humanas estão contidas na vida contemplativa e não na vida ativa. A própria supercivilização engendra um anseio de juventude e primitivismo, um anelo de saúde, de retorno à madre natureza.

As tensões da vida moderna são demasiado grandes para que permitam vir à tona as intuições e os impulsos da profunda força criadora. Hoje, não basta viver, senão que é forçoso trabalhar para viver, e trabalhar muito, trabalhar tanto, que não sobra tempo para a sonhadora molície.

Depois de fazer em *Scènes de lavie future* o processo da civilização americana, industrial, vertiginosa, mecanizada, que está em via de avassalar o mundo, Georges Duhamel proferiu este grito de alarma: *"Esta brilhante civilização de que a América é atualmente o protagonista, o arauto e o profeta, parece levar-nos a um desses períodos em que o mais caro voto do homem livre é refugiar-se no deserto."*

Assim parecerá a muitos. Poucos homens são capazes, vivendo nas grandes metrópoles, de permanecer em contato com a profundidade da essência humana. A maioria sucumbe aos efeitos dos estímulos exteriores. Empolga-os a luta sobre o asfalto; lá se vão arrastados no tráfego convulso dos que consomem a existência na preparação dos meios de viver. Ai deles! Jamais tomarão pé no ser profundo para se encontrarem a si mesmos.

Existem, ainda, climas de ritmo lento, onde os homens não foram acometidos da febre moderna de atividade sem descanso? Acaso restam cantinhos da terra onde haja tempo para tudo, para nascer e morrer, para amar e odiar, para rir e chorar, para semear e recolher, como está dito no Eclesiástico? Sonhamos com um país assim, onde sobre o tempo e nada nos apresse, onde possamos saborear a vida devagarinho, a pequenos sorvos, como epicuristas autênticos?

Sonhamos, sim, mas só nas pausas dos agitados que-fazeres quotidianos.Também os antigos colocavam a felicidade numa idílica *idade de ouro*, bem-definida por Croiset como "o sonho de um camponês cansado".

Este livro foi composto com a tipografia Times New Roman
e impresso pela Meta Brasil.